マゼラン船団

大航海時代とアジア

世界一周500年目の真実

大野拓司 OHNO TAKUSHI

作品社

マゼラン船団 世界一周五〇〇年目の真実
——大航海時代とアジア

第1章 マゼランは、フィリピンで何を見たのか

第2章　「待望の岬」から大海原への挑戦
——マゼラン海峡を越えて

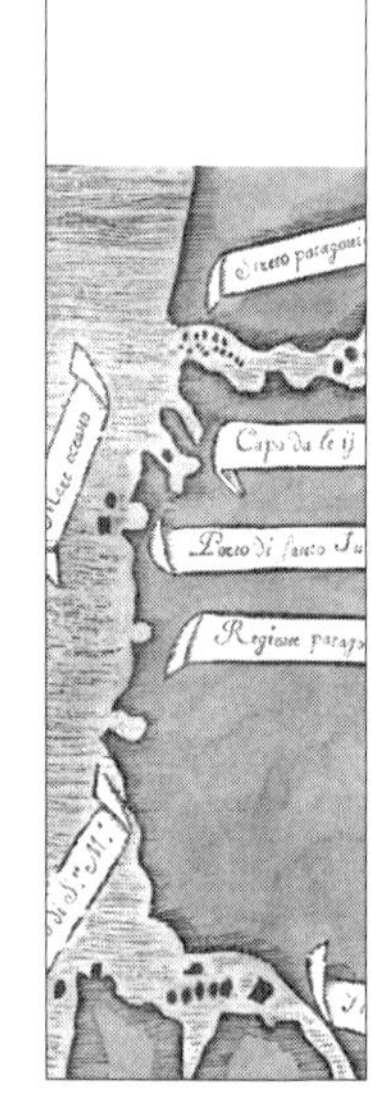

第3章 バランガイ社会の人びとと暮らし
――マゼランとセブの「王」フマボンとの血盟

第4章 歴史に足跡を刻む
――マゼランの死とエルカーノによる世界一周

第5章　「マゼラン後」の展開
——ガレオン貿易とグローバル化

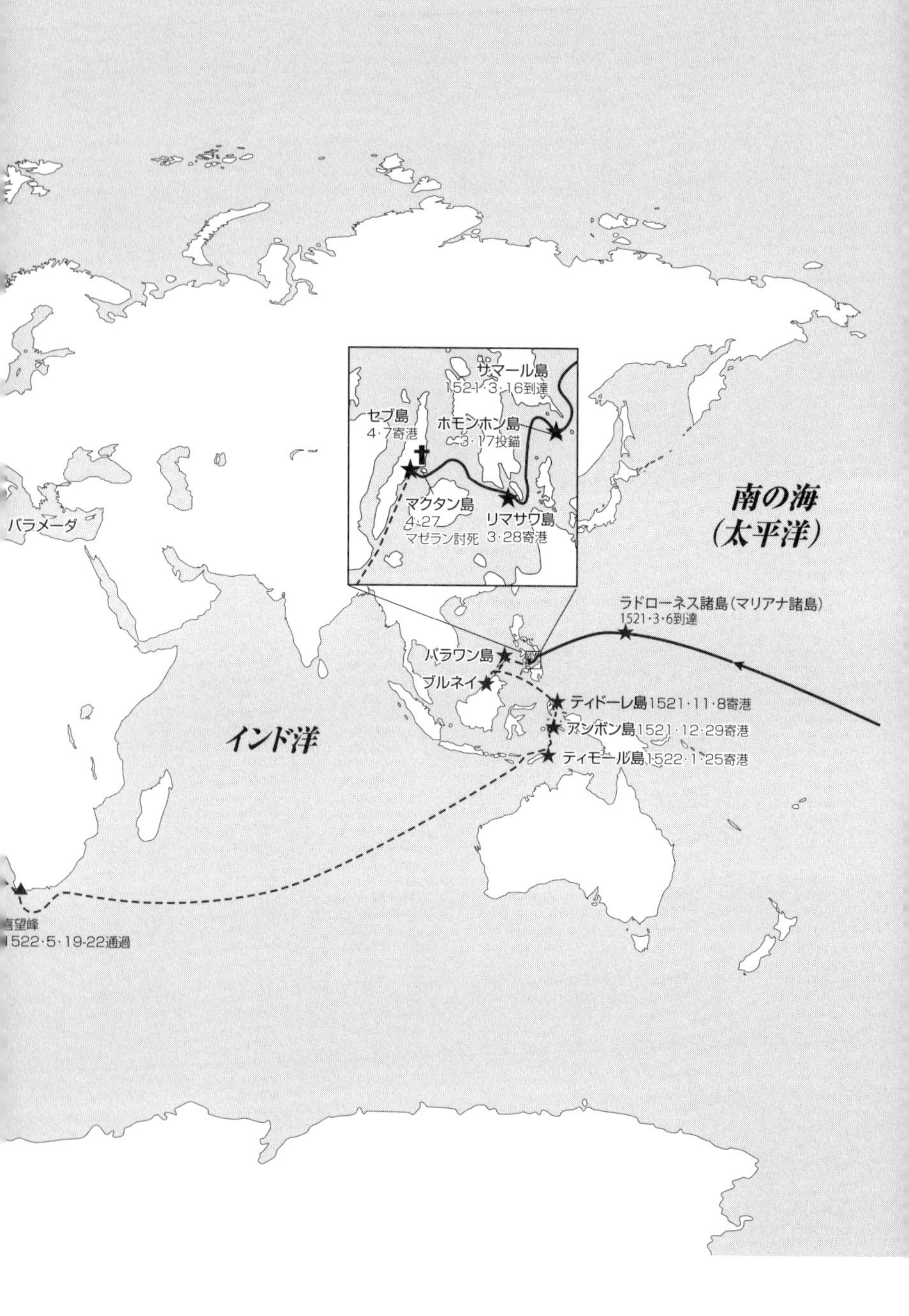

サマール島
1521·3·16到達
セブ島
4·7寄港
ホモンホン島
3·17投錨
マクタン島
4·27
マゼラン討死
リマサワ島
3·28寄港
南の海
(太平洋)
バラメーダ
ラドローネス諸島(マリアナ諸島)
1521·3·6到達
パラワン島
ブルネイ
ティドーレ島1521·11·8寄港
アンボン島1521·12·29寄港
ティモール島1522·1·25寄港
インド洋
喜望峰
1522·5·19-22通過

マゼラン=エルカーノ 世界一周の航跡

1519年8月10日～1522年9月8日

南の海
(太平洋)

大西洋

セビリア
1519·8·10発
1522·9·8着

サンルーカ
1519·9·20出
1522·9·6帰

カナリア諸島
1519·9·26寄港

カーボベルデ諸島
1522·7·9寄港

サンパブロ島
(ボストック島またはフリント島)
1521·2·4通過

シャーク諸島(プカプカ環礁)
1521·1·21接近

1519·11·29

サンタルシアの入江
(リオデジャネイロの入江)
1519·12·13寄港

ソリス川(ラプラタ川)
1520·1·12進入

サンフリアン港1520·3·31から越冬

待望の岬
1520·11·28通過

一万一千日の聖母の岬(ビルヘネス岬)
1520·10·21通過

諸聖人の峡(マゼラン海峡)

―― マゼランの航跡
- - - エルカーノの航跡
★ 寄港地
▲ 経由・通過地
† マゼラン死没の地
地名は当時の名称で、
( )内は現在の地名

フェルディナンド・マゼラン
肖像とサイン

大航海時代のポルトガル出身の航海者、探検家。

1480年ごろ～1521年4月27日。

1519年に始まる航海で、スペイン帝国の艦隊を率いた。マゼラン自身は航海半ばに、フィリピンのセブ島近くで討ち死にしたが、配下のスペイン人フアン・セバスティアン・エルカーノが引き継ぎ、1522年に史上初となる世界周航を達成した。

はじめに

マゼラン船団の五〇〇周年

「マゼランの〝フィリピン到達五〇〇周年〟を前に、フィリピン政府はいろいろとイベントを計画している。どう思うか?」

私は、マニラのジャーナリストの友人からコメントを求められた。マゼラン船団は、一五二一年にフィリピンに上陸している。二〇二一年が「到達五〇〇周年」だった。

ポルトガル出身で、スペイン王室が派遣した船団(五隻)を率いた航海士フェルディナンド・マゼランは、「世界で初めて船による地球一周を成し遂げた人物」として紹介されることがある。だが、マゼランは後年「フィリピン諸島」と名づけられる島の一つで殺害されてしまい、実際に地球周航を果たしたのはマゼランのあとを継いだ船団の生き残り組だった。

スペインでも、ポルトガルでも、船団の出航五〇〇年の二〇一九年九月から、多彩な記念行事がくり広げられていた。

一方、フィリピンでは、当時のロドリゴ・ドゥテルテ大統領が「ヨーロッパ人による『地理上の発見』史観ではなく、あくまでもフィリピンを中心にした視点で、マゼラン到達五〇〇年を記念する行事を展開する」と宣言した。

大統領がことさらに、そう強調したのは、なぜなのか。マゼランは五〇〇年前のアジアで、とりわけフィリピンの島々で、何を見たのか。島の人たちは、遠方から来た異邦人をどう受けとめ、どのように接したのか。ヨーロッパ勢力の到達は、この地にどんなインパクトを与えたのか。そして、その後のアジアの歴史は、いかに展開されたのか。それは現代にどうつながっているのか。日本や中国などの近隣アジア諸国に、どのような影響があったのか。

マゼラン船団の航跡をたどりながら、考えていきたい。

基礎となる歴史資料

手がかりになる歴史資料は、いくつか残されている。まずは、マゼラン船団に同乗していた、イタリア出身のアントニオ・ピガフェッタによる航海記録『初の世界一周についての報告』。また、スペイン国王の宮廷秘書官マクシミリアーノ・トランシルヴァーノが、船団の生還者から聞き取った話をもとにまとめた『モルッカ諸島遠征調書』、そして、航海長フランシスコ・アルボの『航海日誌』などだ。いずれも航海当事者の記録である。

一六世紀前後のフィリピンや日本、中国などの様子を書きとめたアントニオ・デ・モルガの大著『フィリピン諸島誌』も参考にした。モルガは、フィリピンのスペイン統治初期に幹部行政官としてマニラに派遣され、八年間勤務した後にメキシコに渡り、同書をまとめた。これは「統治実務者」が残した記録である。ピガフェッタやモルガなどの著作は、邦訳も出版されている。詳しくは巻末の「参考文献一覧」をご覧いただきたい。

フィリピン史研究の関連では、『*The Philippine Islands 1493-1898*』（フィリピン諸島誌集成一四九三〜一八九八年）がある。重要な一次史料だ。フィリピン諸島に関する先スペイン時代、そしてスペイン統治時代のスペイン語や中国語などで書かれた歴史資料の英訳で、全部で五五巻からなり、一万ページを超える。アメリカ人の歴史家エマ・ヘレン・ブレアと書誌学者ジェームズ・アレクサンダー・ロバートソンの二人が中心になって、一九〇三年から編集・編纂した。

この文献集は、研究者のあいだで略称「ブレア・アンド・ロバートソン」（B&R）として知られる。スペイン人修道士らが書き残した文書が多くを占めるが、ピガフェッタの航海記やモルガの『フィリピン諸島誌』なども全文が英訳され、収録されている。全巻が一九〇九年にかけてアメリカで出版された。刊行部数は計五〇〇部だった。図書館や研究所などに収蔵されている。その後、一九六〇年代に台湾で復刻版が三〇〇部製作されたのに続き、マニラでも一九七〇年代に復刻出版された。

かつては、この文献を見るには図書館まで足を延ばさなければならなかった。ところが今や、全五五巻がすべてデジタル化され、二〇〇四年以降、電子書籍としてオンラインで読めるようになっている。しかも、誰でも自由にアクセスできるのだからありがたい。

たとえば、ピガフェッタの著作は、イタリア語版と英訳版が第三三巻と第三四巻に収められ、電子書籍は前者が二〇一三年以降、後者は二〇一五年から公開されている。モルガはスペイン語版と英訳版が第一五巻と第一六巻にあり、それぞれ二〇〇四年と二〇〇五年に電子書籍がリリースされた。この全五五巻にアクセスできるサイトは複数あるが、国立フィリピン大学ディリマン校図書館のサイトが便利だ（https://mainlib.upd.edu.ph/the-philippine-islands-1493-1898-blair-and-robertson/）。

この画期的な電子書籍づくりを推進してきたのは、アメリカのＮＰＯ法人が運営する「プロジェクト・グーテンベルク」（https://www.gutenberg.org/）である。著作権が切れた世界文学の名著や歴史的な重要文書などを翻訳チームが英語に訳出している。公開している書籍は、二〇二三年初頭時点で六万点を超える。

「ブレア・アンド・ロバートソン」については、研究者らのあいだで「一級の歴史資料」とする評価が定着している。しかし、一部からではあるが、文献集全般に対して「スペイン語などの元の文書を故意にゆがめ、スペインの植民地支配を否定的な見方で描く意図が感じられる」といった批判が出ていることも事実である。それも念頭に置く必要があるだろう。

以上の歴史資料のほかに、多くの先人の知的蓄積を参考にさせていただいた。参考文献は、巻末に列記した。また、引用文で説明が必要と思われたところは、随所、カッコで補足した。

注目すべき事実

そういった史資料をあらためて調べてみると、意外な事実も浮かび上がった。一例を紹介する。

スペインの港を五隻から成る船団を率いて出航したマゼランは、大西洋から南米大陸南端の海峡を抜けて太平洋を横断し、現在のフィリピンの島々にたどり着くが、セブ島対岸の首長配下の勢力と戦闘になり、あえなく討死してしまう。このため、西回りで世界一周を果たしたのは最後に一隻だけ残ったビクトリア号の船長やピガフェッタら計一八人とされてきた。欧米などの研究者らの解釈もこれが主流である。

しかし、複数の原資料を突き合わせると、航海の途中で離脱したり置き去りにされたりしていた船団員が数十人おり、うち少なくとも一七人が、その後に同じ西回りで帰還したことが判明した。彼らを含めると、出航当初から乗り組んでいたマゼラン船団員で、最終的に世界周航を成し遂げてスペインに戻った者は一八人に一七人が加わり、計三五人にのぼる。このなかには、当初の目的地だった現インドネシアの香料諸島に留まっていた船団員のうちの四人が含まれている。アジア側からの視点でマゼラン船団の航跡を調べ直すことでわかった、注目すべき事実だ。

豊かなアジア／貧しいヨーロッパ

マゼランの時代、中世末期ヨーロッパは、相対的に貧しかったことが知られている。貴族など一部はともかく、庶民の生活水準は高かったわけではない。

一方、今日「アジア」として知られる一帯は比較的豊かだった。地理的気候的要因が背景の一つにあった。とりわけ、フィリピンやマレーシア、インドネシアなど海域アジアが赤道をはさんだ低緯度帯に位置するのに対し、ヨーロッパは中緯度から高緯度帯に広がっている。イベリア半島のポルトガルやスペイン、地中海に突き出たイタリア半島でも北緯三六度から四四度だ。日本で言えば、東京から札幌かけての地帯にあたり、フランス、イギリス、オランダ、ドイツとなると緯度はさらに高くなる。気候は緯度だけでなく地形などにも左右されるが、地中海沿岸部などをのぞけば、高緯度の寒冷地帯は植生に乏しく生計手段を縛った。

常夏の熱帯アジアでは、一般の暮らしは少なくとも飢えからは遠かった。時に自然災害や気象異常、政治不安などが食料確保を制約する。それでも、自然環境はヨーロッパに比べ、人の暮らしに優しい。

飢餓が頻繁に起きていたマゼランの時代のヨーロッパの、庶民の暮らしは厳しかった。温帯から寒帯にかけての貧困層はまだ食べることに必死だった。これは貧富の格差の大きさとして説明するべきかもしれないが、ヨーロッパで飢餓がようやく克服されるのは、二〇世紀になってからだった。

食文化の発展段階にいたっては、マゼラン船団がイベリア半島を出航した一六世紀初頭時点で、中国やインド、そして日本なども含むアジア一帯が優れていたのは疑いない。

香辛料を求めて、ヨーロッパの人びとが命がけで未知の海を渡り「東方の地」を目指したのも、ヨーロッパ庶民の食卓は彩りに乏しく、食物は「〔現在では〕想像もつかぬほどまずかった」（ドイツの伝記作家シュテファン・ツヴァイク）という事情が背景にある。

そして、黄金・絹・陶磁器など魅力的な物産の数々。当時、断片的に伝えられるアジアからの情報は、ヨーロッパの人びとの想像力を刺激し、冒険心と野望をかきたてた。それがマゼランを後押しし、「豊かなアジア」へと向かわせたのだ。背後に、時代の扉を中世から近世へとこじ開けるエネルギーも渦巻いていた。

では、マゼラン船団とともに、アジアへの大航海に乗り出してみよう。五〇〇年の時を超えて、スマートフォンを片手に、グーグルアースで航跡をたどって観るのも一興だろう。

第1章

マゼランは、フィリピンで何を見たのか

［扉図版］
16世紀のマゼランの航海を描いた版画。
神話のキャラクターや想像上の登場人物などが描かれ、
ヨーロッパ人たちが抱いていたアジアやアメリカ大陸の
イメージを表わしている。

1……笑顔と恐怖が交差する出会い

陸地が見えたのは明け方だった。大きな島だ。五〇〇年あまり前の一五二一年三月一六日のこと。その島の南方沖に、無人島を見つけた船団は慎重に近づき、翌日、上陸する。船団を率いるマゼランが、上陸には無人島の方がより安全と判断したからで、水を補給し、休養をとるためだった。

南アメリカ大陸南端の海峡を抜けてからここに着くまで三か月あまり、ひどい飢えに苦しんできた。食料を補給できる島を見つけられなかったのだ。もはや、新鮮な食料は何ひとつ残っていなかった。虫がわき、ネズミの小便の臭いにムッとする乾パンで食いつなぎ、飲み水は腐って黄色くなっていた。マストの帆桁を補強する牛革まで剥がして、しゃぶった。歯茎は腫れ、壊血病で船団員が次々と息絶えていく。

当時、西洋人のあいだで「マール・デル・スール」（南の海）と呼ばれていた太平洋が、これほど広大な海原だったとは――。船団を率いるベテラン探検家マゼランにとっても、想定外の大きさだった。

ものの道理のわかる人たち

最初に見た大きな島はサマール島で、上陸したのがホモンホン島だ。ホモンホンで、やっとひと息つけた。翌朝、小船に乗った男たち九人が近寄ってきた。それを見たマゼランは、船団員たちに「自分の指示があるまで、誰も動いたり声を立てたりしてはならない」と命じた。

男たちは島に上陸し、マゼランの前方に歩み寄る。彼らは（船団の）訪問を喜んでいる様子だった。サマールの離島スルアンの住民で、漁に来ていたことがあとでわかる。マゼランが赤い縁なしの帽子や鏡、櫛、鈴、麻布などをプレゼントすると、返礼に、魚やバナナ、ヤシの実、壺に入ったヤシ酒などを差し出した。食料が欲しかった船団には、飛び上がるほどの僥倖だった。身ぶり手ぶりで意思を通わせる。

これが、マゼラン一行と「フィリピン人」が、初めて遭遇した場面である。マゼランは、男たちの振る舞いから「ものの道理のわかる人たち」と見てとった。まずは友好的な出会いだった。

以上の記述は、マゼラン船団に同行していたアントニオ・ピガフェッタ（一四九一～一五三四年）の航海記を下地にしている。

ピガフェッタは、イタリア北部の内陸ビチェンツァの出身だ。地理学や地図学、天文学などに通じていた。若くしてロードス島の騎士団につかえ、教皇使節に随行してスペインのバルセロナからセビリアを訪れた際、未知の大海への遠征の話を聞きつけて志願したとされる。それまで「海」といえば地中海がすべてだったであろう青年ピガフェッタにとって、そこから外洋へと広がる世界への好奇心

上：1521年3月16日、マゼラン船団は、現フィリピンのサマール島沖に到達し、スルアン島の沖合に投錨した。その海岸に掲げられた「500周年」の記念旗。（フィリピン政府500周年委員会提供）

下：翌17日、マゼラン船団は、ホモンホン島（当時は無人島）に上陸し、フィリピンへの第一歩を記した。その上陸を描いた想像図。（セブの博物館で著者撮影）

と冒険心が刺激されたに違いない。航海の記録を、毎日欠かさず書き続けた。三年の航海を経て、幸いスペインに生還できた数少ないマゼラン船団の生き残りの一人となる。

航海記は、ローマ教皇による執筆の勧めを受けて『Relazione del Primo Viaggio Intorno Al Mondo（『初の世界一周についての報告』）』の題名で、ロードス騎士団長への書簡の体裁で著された。後年、イタリア語のほか、フランス語や英語などに翻訳されて各国で出版を重ねる。その過程で、脚色されたり改変されたりしたといわれる。原本は残っていない。それでも、専門家のあいだで「最も信頼すべき」とされるバージョンが日本語にも訳されている。

一六世紀初期、まだ「フィリピン」の呼称がなかった地域に関する文書史料は限られているだけに、ピガフェッタの航海記はきわめて貴重である。気候、風土、人びとの暮らしぶり、言語、特産物、動植物……。各地での見聞を、冷静に、そして時に熱情を込めて書きとめた。優れた民族誌であり、今日なお色褪せぬ価値を持つ、一級のルポルタージュだ。

マゼランの遠征については、ほかにも航海関係者による記録がいくつか残っている。スペイン国王の宮廷秘書マクシミリアーノ・トランシルヴァーノが、船団の生還者三人からの聞き取りをまとめた遠征調書（一五二三年出版）、マゼランが乗った旗艦の航海長フランシスコ・アルボの航海日誌などだ。ピガフェッタの航海記を参照し補完するうえでも重要な史料である。

これらの史料は、あくまでも「勝手に割り込んできた」側の記録である。今日の価値観に立てば、当時の記述には人種的な偏見や西洋の優越意識が随所に見られ、西欧中心主義の視点が基調になっていることは否めない。

では、地元の人たちがマゼランの「来島」をどのように受けとめたのか？　フィリピン中部のセブ市にあるサンカルロス大学の文化人類学者で、博物館長のジョバース・ホセ・ベルサレス教授によると、わずかな口承の民話など以外に書き記された観察は残っていない。民話も、残念ながら断片的な情報でしかないという。

陽気でおしゃべり、大酒飲み

五〇〇年余前に戻ろう。

マゼラン船団は太平洋で一度、新鮮な食料を補給しようと小さな島に近づいた。ところが、島民との間でトラブルになり、ほうほうの体で逃げ出す事件が起きた。その島は、今日のマリアナ諸島南端のグアム島だった。事件については後述するが、船団員の間で飢餓が深刻化している中でのことで、マゼランは必死だったに違いない。

サマール島の沖まで到達したマゼラン船団が離島に慎重に近づき、投錨先をあえてホモンホン島(当時は無人島だった)にしたのは、グアムでの苦い経験があったからだろう。

しかし、それは杞憂だった。マゼラン一行は地元の漁民らと親しく交わり、彼らの支援を得てレイテ島沖の小島リマサワなどを経由して、四月初旬、セブ島へ向かう。リマサワ島の首長コランブらが、この周辺地域の中心地はセブ島で、そこの「王」が一帯の最有力者だと教えてくれたからである。

この間に出会った人びとは、「たいへん陽気でおしゃべり」だった。マゼランたちは気をよくして、島民との交流を大いに楽しんだ。

ピガフェッタによると、各所で酒食に招いてくれた。人びとは魚や豚肉をよく食べ、「ものすごい大酒飲み」でもあった。宴会が終わると、すぐまた次の宴会に誘ってくる。船団員の中には、勧められるまま調子に乗って飲み食いし、酔いつぶれる者も出た。

ピガフェッタは、島の人たちがビンロウの実を割り、少量の石灰と一緒にキンマの葉に包んで噛む習慣についても、細かく記録している。ドロドロになると吐き出し、「口の中が真っ赤に染まる」と描写。「この地域一帯では、どの種族でもこの習慣をもっている」と書く。一種の噛みタバコのような嗜好品で、今日でも広く南アジアや東南アジア、太平洋諸島の各地に残っている。

船団員が交易品を荷揚げすると、セブの有力者が保管の「安全を保証」すると告げた。そこには木製の秤もあった。水平の棒の真ん中を紐で吊し、棒の一方の端に分銅が、もう一方に目盛りがついた天秤だった。「人たちは法秩序を持ち、度量衡を定めている」とし、「平和と怠惰と静安を好む」と、ピガフェッタは観察している。

有力者の邸宅での晩餐に招かれた際には、若い女性四人が青銅製の打楽器を演奏してくれた。「四人はかなり美しく、そして色白だった」とピガフェッタ。「ほとんどヨーロッパの婦人と似ており、同じくらいの背丈であった」とも記述している。

陽気でおしゃべり。飲み食いを楽しみ、勧め上手で、エンターテイナー。何だか、今日のフィリピンの人たちとほぼほぼ同じようではないか。

こうした情景をみずみずしい筆致で航海記に綴ったピガフェッタだが、泳ぎは苦手だったらしい。セブ島に向かう前に寄った島で、「魚を釣ろうとして船縁を歩いていた」際、雨で濡れていたために滑って海に落ちてしまい、溺れかけたことを書き残している。たまたま水中に垂れていたロープをつかむことができ、大声で叫んで仲間に助けてもらった。ピガフェッタは信心深かったらしく、「自分の功徳のおかげで命が助かったなどとは考えていない」と書き、「神の御恵み」を強調している。そ

世界一周したマゼラン船団の航路が描かれている1545年の地図（米ブラウン大学蔵）。

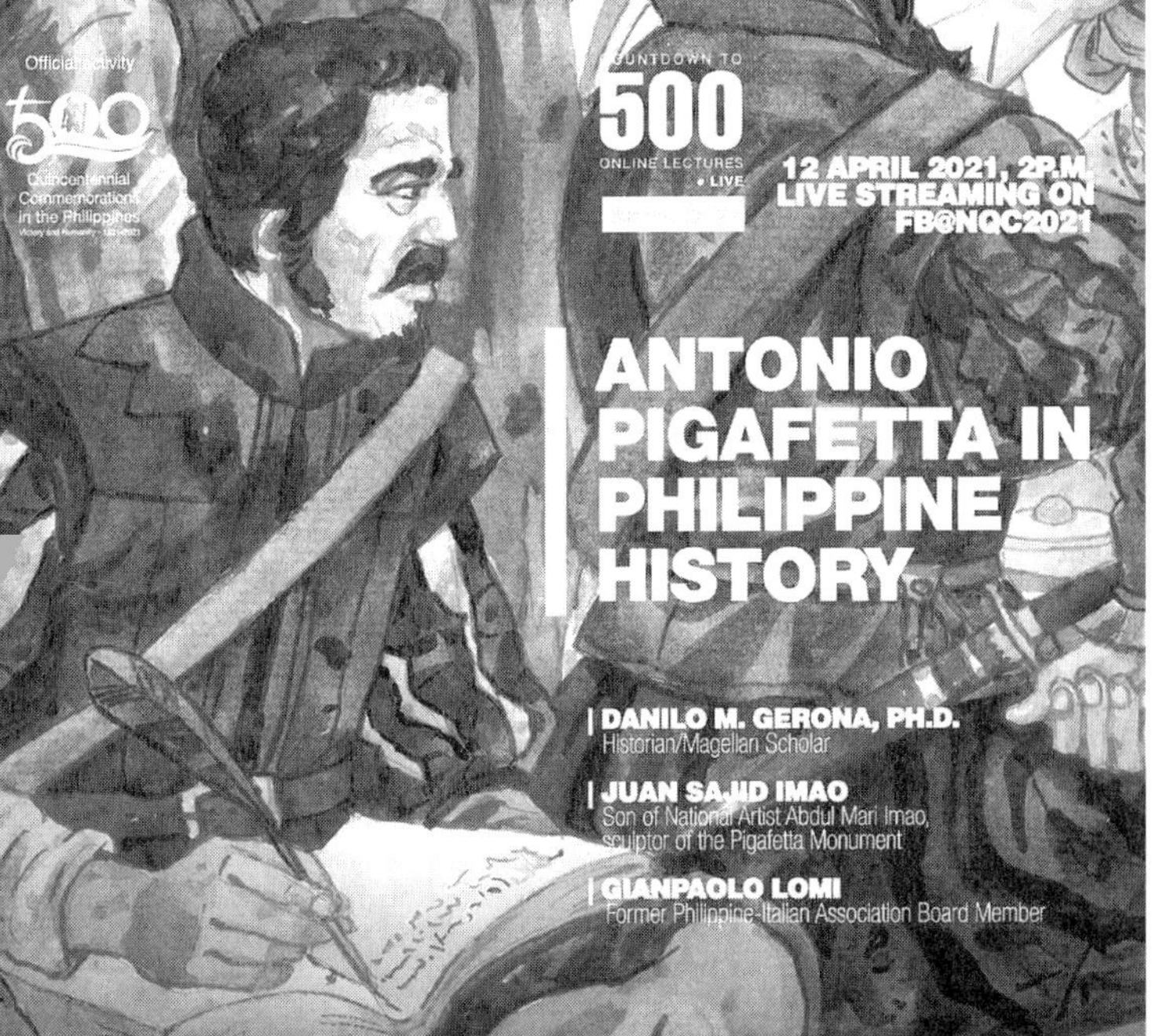

フィリピン政府「500周年委員会」のポスターに描かれたピガフェッタ。

れにしても、イタリアの内陸育ちとはいえ大航海に同行した記録者がカナヅチだったとは意外だ。しかしながら、自らそのことを書き残しているところに、彼の素直さを感じさせる。

船腹から大砲を一斉に発射

マゼラン船団とフィリピンの人たちとの出会いは友好的ではあったが、船団が無防備で無警戒だったわけではもちろんない。上陸する時は戦闘態勢をとり、船腹にずらりと突き出した大砲を一斉に発射させたり、剣や盾で完全武装した船団員が互いに戦う格好をして見せたりした。威嚇したのである。地元の有力者は、そうした「武装した兵士は、一人で自分の家来一〇〇人に匹敵するだろう」との感想をもらしたという。

「敵ではなく、友人として訪れた」。マゼランは有力者にそう伝える。だが、武力のデモンストレーション効果は絶大だった。住民たちは「大いに驚き、恐れた」と、ピガフェッタは記している。笑顔と恐怖が交差する出会いだったのだ。マゼラン船団は、友好親善のためにやって来たわけではなかった。

2……西回りでめざせ「香料諸島」

フェルディナンド・マゼラン。フィリピンでも日本でも、この英語圏の人称表記が定着している。しかし、スペイン統治時代のフィリピンでは「フェルナンド・デ・マガリャネス」というスペイン流の呼称が使われた。しかし、彼はポルトガル出身なので、「フェルナン・デ・マガリャンイス」がもともとの呼び名である。近年、日本では学校の教科書でこの表記を使うようになったから、若い世代にはマガリャンイスの方が通りやすくなるだろう。

そのマゼランが、五隻からなる船団を率いて大西洋をまたぎ、未知の太平洋越えに挑んだのは、地球をぐるりと一周するためではなかった。

では、何が目的だったのか？　どこをめざしたのか？

東回りでポルトガルが先陣を切る

一五世紀、ヨーロッパ人が遠く外洋へと乗り出した「大航海時代」の幕が開く。先陣を切ったのが、ポルトガルだった。ヨーロッパの西のはずれに位置するイベリア半島の小国だ。面積九万平方キロあまり。北海道を少し大きくした程度の同国は、八世紀以来、アフリカ北部のモーリタニアやモロッコから半島に侵入したアラブ・イスラーム教徒の勢力を「モロ」と蔑称し押し返す闘争を展開する。こ

「はじめに香辛料ありき」。マゼランの遠征隊が、大海の彼方に求めたのは、スパイス（胡椒、シナモン、クローブ、ナツメグ……）だった。

の過程で民族主義が沸騰。「国土回復（レコンキスタ）」をいち早く成し遂げ、国王を頂点に戴く中央集権体制を、他のヨーロッパ諸国に先駆けて確立した。その勢いで海外に挑んだのだ。

目の前には大西洋が開けている。船団を組んだ遠征隊が、大西洋を南下してアフリカ大陸の西海岸地帯を「攻略」した。それから次々と航路を延ばし、大陸南端の喜望峰をまわる。さらにインド洋に出て大陸東岸を北上し、インドのゴア、マレー半島のマラッカへと至る東方航路を開拓していく。「はじめに香辛料ありき」。オーストリア出身の作家シュテファン・ツヴァイク（一八八一～一九四二年）は、伝記小説『マゼラン』（原著は一九三八年、ウィーンで出版）の冒頭をこう綴り、筆を進めた。

イベリア半島の王室がスポンサーになり、遠征隊が大海の彼方に求めたのは、海外領土とスパイス（香辛料）だった。胡椒、シナモン（肉桂）、クローブ（丁子）、ナツメグ（肉荳蔲）、メース（肉荳蔲の仮種皮）などなど。昨今は、スーパーマーケットの棚にビンに詰まった色とりどりのスパイス各種が手ごろな値段でずらりと並んでいるが、当時のヨーロッパではどれもはるか遠くから運ばれてくる珍品で、すこぶる値が張った。食肉の防腐、保存、消臭、味付け、さらには薬剤や香料などとしての需要があり、特に貴族らのあいだでニーズは高まるばかりだった。一部では精力剤になると信じる人もいたという。ツヴァイクによると、西欧の食物は、中世末にいたるまで「想像もつかぬほど無味乾燥」だったから、「オリエント（東方）」の、そして「インド」の香辛料には人びとを陶酔させる魅力があった。

「芳香」「甘美」「挑発的」。そうした言葉で形容される魅惑的なスパイスの数々。とりわけ珍重されたのがクローブやナツメグで、その唯一ともいえる産地が「香料諸島」だった。現在のインドネシア東部の赤道直下に位置するマルク（英語圏名はアラブ商人の命名とされる「モルッカ」）諸島だが、中でも「島影が見えてくるより先に匂いでわかる」とまでいわれたのは、バンダ海とセラム海に点在するテルナテ、ティドーレ、バチャン、アンボンといった島々やバタン諸島だ。そこで収穫されたスパイスを、マレー人がジャワやスマトラ、マラッカの市場に持ち込み、中国、インド、ペルシャ、アラビア、トルコなどの商人の手を経て、地中海へ運ばれる。地中海のスパイス貿易は、コンスタンチノープル（現トルコのイスタンブール）を軸に、イタリアのベネツィア商人が仕切り、いくつもの市場を経由してヨーロッパ各地へと届けられた。

だが、その流通は、煩雑な交易ルートや揺れ動く政治情勢に左右された。供給が不安定化すれば末端価格ははね上がる。時に「ナツメグ一グラムは、金一グラム」とまでいわれるほど希少で貴重な商品だったから、スパイス貿易を独占し、安定供給を確保するためなら、巨額の遠征費を投入し探検に命を懸ける価値があった。

ヨーロッパの物流の中心を担っていた地中海世界は、一五世紀になると、イスラームを奉じ強大な武力を誇るオスマン帝国が沿岸部を核に版図を広げていく。こうした情勢下、帝国の影響力を避けてスパイスの産地に直接アクセスするには、地中海の外に遠洋航海のルートを拓く必要があった。

その先駆けをポルトガルが担ったのだ。

マゼランの野心とスペイン王室

マゼランは一四八〇年ごろ、ポルトガル北部のポルト近郊で下級貴族の家に生まれた。詳しい生い立ちは不明だが、一五〇〇年代初頭の二〇代半ばから、ポルトガル海軍の航海士として計約八年間の遠洋航海を繰り返した。その大半を二度にわたるインド洋での探検軍務にそそぎ、各所で領地の攻略や交易拠点づくりの経験を積んだ。ポルトガルによるマレー半島の「マラッカ制圧」（一五一一年）の前後にも、この海域に軍務で滞在し、周辺地域を探査したとされる。この時、香料諸島に関する情報にも接したとみられる。実際、マゼランの縁者が香料諸島に行き着き、その旨を手紙で伝えていたことが、これまでの研究でわかっている。ただ、マゼランはモロッコで足を負傷し、生涯片足を引きずる暮らしを余儀なくされた。

航海士として、戦士として、そして探検家としても、十分な経験を重ねてきたマゼランだ。リスボンに戻り、ポルトガル王室に東回りのインド洋航路による香料諸島への遠征計画を持ちかける。ところが、報酬アップを求めたとか、汚職疑惑など思わぬ嫌疑をかけられたといったこともあって国王の不興をかい、提案は退けられてしまう。

冷遇に不満を抱いたマゼランに残された道は、隣国スペインの王室に働きかけることだった。当時、商売その他の理由で両国間を往来し、住居を移すことはさほど珍しくなかった。マゼランは有力な知人友人の伝手を通じて王室にアプローチしたが、ベテラン航海士の名声はすでに王室に届いており、国王カルロスⅠ世（一五〇〇〜五八年）が計画を受け入れる。

スペイン王室はすでに一四九二年、イタリア・ジェノバ出身のクリストフォロ・コロンボ（コロンブス）が率いる遠征隊を派遣し、大西洋を横切ってカリブ海から「新大陸アメリカ」に至る航路開拓の実績を上げていた。コロンブスは一五〇二年までの一〇年間に計四回、大西洋横断を果たす。その先に香料諸島があるはずだ。東回りで先行するポルトガルに対抗し、西回りによる香料諸島へのルート開拓に意欲を持つスペイン王室とマゼランの野心が合致したのである。

もう一つ、スペイン王室を突き動かす動機があった。当時のヨーロッパ諸国で、遠洋航海が可能な帆船を持っていたのはスペインとポルトガルくらいのものだった。イベリア半島におけるイスラーム勢力の最後の拠点になったグラナダの陥落に手こずり、レコンキスタの完遂に後れをとったこともあって、海外進出ではポルトガルの後塵を拝することになったが、コロンブスの新大陸到達で海洋覇権の争いの激化が視野に入ってきた。

そこで、両王室はローマ教皇の権威を盾にして勢力圏の住み分けをはかる。曲折を経たのちの一四九四年、ポルトガル国境からそう遠くないスペイン中北部の町トルデシリャスで条約を結び、現在のブラジル東部の膨満部を通る子午線（今日の西経四六度三七分）を境界とし、東側をポルトガル、西側をスペインの勢力圏とすることを決めた。これが後年、世に知られる「トルデシリャス条約」である。

まるでリンゴを二つに割るかのように、ローマ教皇の勅書をナイフ替わりにして「デマルカシオン（境界）」の線を引き「地球分割」をはかったのだ。それぞれが勢力圏で「発見」した土地を支配する優先権を持つというものだが、「発見される側」からすれば、まことに迷惑千万、勝手きわまる取り決めだった。

しかし、トルデシリャス条約をベースにしても、果たして香料諸島がスペイン側の領域に属すのか、ポルトガル側なのかは判然としなかった。両国は、それぞれ自国の勢力圏だと主張した。イベリア半島から見れば、まさに地球の反対側である。今なら、GPS（全地球測位システム）のデータを組み込んだスマホのアプリをちょっといじるだけで、たちどころに特定できるが、当時はあまりにも情報が乏しかった。マゼランは、デマルカシオンで香料諸島はスペインの勢力圏内と主張し、スペイン国王を説得した。一五一七年だった。

欲したスパイスはなかった

スペイン国王カルロスⅠ世は、その前年（一五一六年）、一六歳で即位したばかりの若き君主だった。名門ハプスブルク家出身のカスティーリャ国王フェリペⅠ世と王女フアナの嫡子で、のちに「カールⅤ世」として神聖ローマ帝国の皇帝をかね絶大な権勢を誇る。遠征隊のスポンサーで総費用の五分の四を出したとされるが、残りは地元の裕福な商人が「出資」の形で提供した。ポルトガルのリスボンやスペインのセビリアなどには、海外貿易でひと山当てようという商人たちが集まってきていたという。中には、南ドイツのフッガー家のような広くヨーロッパを舞台にした豪商も代理店を構えていた。鉱山や金融業で財を成したフッガー家は、カルロスⅠ世が神聖ローマ帝国の皇帝に選出される際の選挙費用を提供したパトロンとして知られ、マゼラン船団にも資金提供したとする説がある。王室の権威と豪商のカネ。両者は持ちつ持たれつの関係にあった。

難航のすえ、西回りでフィリピンのサマール島沖までたどり着いたマゼランは、遭遇した地元住民と意気投合し、彼らを船内に招く。船には「交易用」の見本として、胡椒やクローブ、ナツメグ、シナモンなどのスパイスを積んでいた。

「これから前進しようとしている、その方向の土地で産出するはず」。スパイスの見本を見た住民たちが「身ぶりで教えてくれた」と、ピガフェッタは航海記に書いている。

今日のフィリピン領域では、クローブやナツメグといったヨーロッパが希求するスパイスを産出しなかったことが、後年、改めて判明する。ルソン島南部のビコール地方やミンダナオ島の一部で、シナモンなど一部のスパイスが採れるものの、海外の需要に応じるには微少だった。

それにしても、もし、マゼランがスペイン王室の後ろ盾ではなく、ポルトガルの旗の下で派遣されていたとしたら、その後の歴史は別の展開になっていただろう。「フィリピン」という名の国は成立しなかったはずだし、国土の領域も現在とは違ったものになっていたのではないか。

3……多国籍チームとバスク人

スペイン南西部の港湾都市セビリアは、アフリカ大陸西北端のジブラルタル海峡を挟んで、東に地中海、西に大西洋を望むアンダルシア地方の中心地だ。海浜から約八〇キロメートルの内陸部に位置するが、周辺は平均標高七メートルほどの低地で、ゆったりと流れる大河グアダルキビルを南に下ると、大西洋に開けたカディス湾にそそぐ河口サンルーカル・デ・バラメーダに出る。イベリア半島ではポルトガルのリスボンと並び、大航海時代を彩る海上交通の要衝だった。

マゼラン船団も、この港から出航した。一五一九年九月二〇日の火曜日（ユリウス暦）のことだった。この日が世界史上、そして人類史上、重要な日付になるであろうことは、まだ誰も認識していなかったに違いない。

海外進出ブームに沸く

国王から探検遠征の承認と資金提供を受けたのち、出航準備に一年半を要した。船団は「カピターノ・ジェネラーレ（総指揮官、提督）」のマゼランが乗るトリニダード号（一一〇トン）を旗艦に、サンアントニオ号（一二〇トン）、コンセプシオン号（九〇トン）、ビクトリア号（八五トン）、サンティアゴ号（七五トン）の計五隻で構成。総勢二六五人（二三七人から二八〇人まで諸説ある）が分乗した。大半がスペイン人だが、ポルトガル人も三〇人あまりが加わり、イタリア、ドイツ、フランス、ギリシャなどからの船乗りが交じる「多国籍チーム」だった。占星術師や天文学に詳しい船乗りもいたし、カトリックの司祭も乗船した。女性についての言及はないが、当時の船団には一般的に女性の乗組員はいなかったようだ。

この時、マゼランは三九歳（推定）。二年前にセビリアで結婚した同じポルトガル出身の妻ベアトリスと幼い息子を残しての出航だった。

アメリカの旅行史家ボイス・ペンローズの大著『大航海時代——旅と発見の二世紀』によると、五隻はいずれも中古船で、「継ぎ接ぎだらけの老朽船」だった。出航準備に手間取ったのは、船の補修、乗組員の人選、食料などの荷積みに時間がとられたからだという。

海外進出ブームに沸くイベリア半島の、とりわけリスボンやセビリアには遠洋航海の情報が蓄積され、地中海沿岸地域をはじめ欧州各地から野心と冒険心あふれる若者たちが集まってきていた。不始末から逃れた荒くれ者もいたのではないか。はるか遠く、未知の海に乗り出すのだ。一攫千金のチャンスでもあるが、「板子一枚下」には、地獄が口を開けている。荒波にのまれて水没するかもしれない。恐ろしいのが壊血病だった。無寄港の航海が長期化すれば、新鮮な野菜や果物不足による恒常的なビタミンCの欠乏に陥る。そうなると、臓器が次々と出血性の病にむしばまれ、脳を破壊し、精神をおかす。当時はまだ、その原因がはっきりとはわかっておらず、船乗りの命を奪う「悪魔の病」と怖がられた。一四世紀のヨーロッパ大陸を襲い恐怖に陥れた感染症になぞらえ、「海のペスト（黒死病）」の異名もあった。

1519年9月20日、マゼラン船団の五隻は、スペイン・セビリアのサンルーカル・デ・バラメーダの港を出帆した。上：出航500周年を記念して、同地に掲げられたマゼランとエルカーノのタイル画。下：ビクトリア号の出航を描いた銅版画（1807年）。

ひとたび沖に出れば、そこかしこに海賊も跋扈（ばっこ）する。彼らが狙うのは金品だけではない。航海日誌も奪った。風向き、海流、暗礁の位置、沿岸部の地形。そうした情報が詰まった記録なら、野望に燃える探検航海士たちには喉から手が出るほど欲しかった。

それに、想像してほしい。一〇〇トン前後の木造船に、何十人もの男たちが乗り込むのだ。来る日も来る日も狭く閉ざされた空間で一緒に過ごす。非衛生だし、プライバシーはない。いかにタフな海の男たちでも、時に精神に異常をきたしたり、ちょっとしたことで諍（いさか）いを起こしたりしても不思議はない。

もともとポルトガル出身のマゼランである。無条件に忠誠を期待できる義兄弟や気心が知れた同郷の船乗りを、何とか一〇人前後リクルートして乗せた。だが、船団のスポンサーがスペイン王室だったこともあり、その他の人選は妥協せざるを得なかったらしい。ポルトガル系とスペイン系とのあいだに、微妙な対抗心があることをマゼランはよく知っていた。また、ポルトガル人の一部には、マゼランは「スペインに寝返った男」と侮蔑する感情もくすぶっていた。マゼランのそうした懸念は、のちのち現実のものになる。それでも当初は、統制を乱す乗組員に対しては容赦なく厳罰を与えることで乗り切った。

ペンローズは、マゼランの「部下」たちを「水辺の屑みたいな連中の寄せ集め」と酷評し、彼らを使いこなしたマゼランの冷徹なリーダーシップと人心掌握術を称賛している。

お土産物もどっさり積み込む

コロンブス（一四五一年ごろ～一五〇六年）、バスコ・ダ・ガマ（一四六〇年ごろ～一五二四年）、そしてマゼラン……。西洋世界では今日、この三人の海洋探検を「世界三大航海」と位置づけている。だが、栄光の歴史に名を刻んだ著名航海者の陰には、海の藻屑と消えた幾多の船乗りたちがいた。「幸運の神」を味方につけた者だけが、後世に名を残すのだ。

航海は二年間を想定し、食料も二年分超を用意した。船上での主食は日持ちがする乾パンだ。セビリアの郊外には、すでに航海用の乾パン工場ができていた。まず乾パンを約一〇〇トン積んだ。それに、豆、塩漬けの牛肉や豚肉、カタクチイワシの干物、干しブドウ、干しイチジク、ハチミツ、ナッツ、チーズなども調達した。

そして、酒だ。荒くれの船員をなだめ上機嫌にしておくには酒は欠かせない。洋上での酒は一七世紀に入ると、ラム酒が主流になる。サトウキビを原料にした蒸留酒で、劣化が遅く、少量でいい気分になれる利点があった。だが、マゼランの時代はまだワインが一般的だった。

マゼラン船団は、ワインを大樽で二五三個、革袋詰めを四一七個持ち込んだとされる。一パイント（約五〇〇ミリリットル）のワインを乗組員全員が毎日飲んでも、二年分に当たる量だったという。作家シュテファン・ツヴァイクも「すべての水夫の夜と昼の飲み量として、優に二年分は保証された」と書いている。

問題は新鮮な野菜や生の果物だった。冷蔵庫などない時代だ。保存期間に限界があったから、航海の途中で飲料水などとともに生鮮食品を補充しなくてはならない。

ほかには、帆船の補修材、釣り道具、交易用の商品サンプル。長期航海の備えだから、その多種多様さは数え上げたら切りがない。武器も大量に装備した。五隻に大砲を計七一門、火縄銃五〇丁、槍一〇〇〇本、兜と甲冑一〇〇組、それぞれに三六〇本の矢をつけた大弓六〇張などだった。反逆者が出ることも想定し、手錠や鎖も積んだ。

お土産物も積み込んだ。ツヴァイクによると、マゼランはインドやマレー半島への航海の経験から、寄港先で地元の人たちに喜ばれるお土産を心得ており、自ら選んだらしい。鏡、鈴、櫛、ハサミ、小刀、赤い帽子、色布などをどっさり仕入れた。ツヴァイクは著書『マゼラン』に、「どれもひどい安物」だったと書いている。ピガフェッタの航海記には、到達先で出会った人たちに鏡や小刀を贈呈するなどして近づき、大量の食料や飲み水をもらう場面がしばしば出てくる。

五隻で出航したマゼラン船団は、途中、「南の海（太平洋）」に出る前に、スペイン系とポルトガル系との船乗りの対立などを背景にした反乱と座礁で二隻を失い、サマール島沖に着いた時には三隻になり、船団員も半減していた。苦難を乗り切り、同地の島で邂逅した住民に鏡や鈴を渡して近づいたのは、ベテラン総指揮官マゼランならではのプレゼント作戦だったようだ。

後述するが、マゼランはセブ島周辺の有力者間の対立に首を突っ込み、セブの対岸の小さなマクタン島の浜辺で討ち死にしてしまう。あとを継いで航海を続け、最終的に生還できたのはビクトリア号ただ一隻、一八人だけだった。

危険に満ちた遠洋航海に挑んだ多国籍チームには、その後の歴史の展開で注目すべき地方の出身者が少なからずいた。イベリア半島の一角で独自の歴史を刻んできたバスク人である。

「海の民」は進取の気性

フィリピンの外交官で、バスク研究家のマルシアーノ・デ・ボルハ氏によると、マゼラン船団の初期メンバー二六五人のうち、少なくとも三五人がバスク出身者だった。そして帰還した一八人のうち、ビクトリア号の船長ファン・セバスティアン・エルカーノをはじめ計四人がバスク人だった。

マゼランの到達を契機に、スペインはフィリピン周辺海域への遠征隊を数次にわたって送り込み、「諸島攻略」を果たす。かくしてフィリピンは一五六五年から一八九八年までの三三三年間、スペインの植民地統治下に置かれるのだが、入植したスペイン人にはバスク出身者が少なくなかった。国王の勅令で派遣された植民地行政最高位の総督には、初代のミゲル・ロペス・デ・レガスピ（一五〇二～七二年）をはじめ、その右腕だった航海士アンドレス・デ・ウルダネタ（一四九八～一五六八年）がバスク人だった。

スペイン統治初期の一六世紀末から一七世紀初頭にかけて八年間、マニラに駐在した行政官アントニオ・デ・モルガ（一五五九～一六三六年）もバスク出身で、代理総督にも就き、離任後の一六〇九年にメキシコで『フィリピン諸島における出来事』（邦訳は『フィリピン諸島誌』）を出版した。歴代総督は代理も含めて計約一二〇人を数えるが、このうちバスク人は判明しているだけでも一八人にのぼる。

「イゴヨク広まるキリスト教」。ゴア、マラッカを経て、一五四九年に薩摩にたどり着いたイエズス会士のフランシスコ・ザビエルも、バスクの出身である。ザビエルらとともに、カトリックの海外布教に積極的なイエズス会を創設（一五三四年）したイグナティウス・デ・ロヨラもそうだ。

バスクは、スペイン北部とフランス南部のビスカヤ湾に面した地域だ。イベリア半島の付け根を東西に伸びるピレネー山脈が、フランスとの境を分ける。その両麓に広がる一帯に暮らし、独自の歴史と文化を誇ってきたのがバスク人である。進取の気性に富み、「海の民」の一面を持つバスク人は一六世紀以降、大航海時代の波に乗り、新天地を求めて海外各地に飛び出していく。中でもスペインが統治したアメリカ大陸での植民地経営に重用された。その子孫はメキシコに多く、今日のメキシコ総人口（二〇二〇年末時点で約一億二六〇〇万人）の二％がバスク系といわれている。船員に加え、軍人、聖職者、そして後年になるにつれ、造船業・武器製造業などの職人や商人らが増えていく。そうした一部がフィリピンに来たのだ。

とりわけスペイン統治末期の一八〇〇年代、フィリピンに移住したバスク人の中には、強力な経済基盤を築いた実業家が多い。末裔は現在も、この国のビジネス界に根を張る「スペイン系財閥」の中核を担う面々だ。アヤラ、アボイテス、アラネタ、エリサルデ、オルテガス、ズビリ……。砂糖やアバカ（マニラ麻）、タバコ、コーヒーといったフィリピンの伝統的な輸出向け農産品は、主にバスク系の実業家たちが開発し、現在も深く関わっている。著名な財閥家の当主は代々、バスク地方出身者と婚姻などを通じてつながりを保ってきた。また、「ヌエバ・ビスカヤ」や「ビルバオ」「アンダ」をはじめ、バスクにちなむ地名がフィリピン各地に数多く残っている。

「うちの先祖もバスク人。一九世紀の半ばに来たと祖父や父から聞いている。マゼランがフィリピンに到達していなかったら、うちの先祖はフィリピンに来ていたかどうか」。ポピュリト・アラネタ氏（一九四九年〜）は目を細めた。フィリピン中部パナイ島の中心都市イロイロの実業家だ。地元サッカー協会の幹部でもある。セルベサ（ビール）を愛し、夜な夜なステージつきの居酒屋で一杯やりながらギターの弾き語りを楽しんでいる。

第2章

「待望の岬」から大海原への挑戦

マゼラン海峡を超えて

［扉図版］
世界一周を果したビクトリア号（85トン）の構造。
マゼラン船団の五隻は、いずれも「カラック船」という木造の帆船だった。
15世紀に入り、遠洋航海用に開発されたもので、コロンブスの旗艦サンタマリア号もカラック船だった。16世紀半ばに進化形のガレオン船が登場するまで、約100年間、カラック船は大航海時代前期の「海の主役」を担った。

1……大河ラプラタに踏み入る

飢えに苦しんだすえ、フィリピン諸島に到達したマゼラン船団。イベリア半島を五隻で出航したが、すでに二隻を失い、船団員も半減していた。ここまで約一年半。大西洋を越えて太平洋に出るまでの航海も振り返っておこう。

主役はカラック船

船団を構成した五隻の船は、いずれも「カラック」とか「キャラック」と呼ばれた木造の帆船だった。一五世紀に入って遠洋航海用の船へのニーズが生まれ、イタリア沿岸など地中海の海洋国で開発された。外洋の高波に耐えて船体の安定を保ち、物資の大量輸送にもかなう広い船倉を備えていたのが特徴だ。

このタイプの船は一般に、全長が約二五から六〇メートル級まであった。船の長さに対する全幅との比率は、おおむね三対一。外観は丸みを帯びて、ずんぐりしていた。これが船の安定性を高め、同時に乗員や物資の収容スペースを広げた。一五世紀末、カリブ海に到達したコロンブスの旗艦サンタマリア号（全長二四メートル／幅八メートル）も、カラック船だった。

マストは三本から四本。帆を張って背後から風を受け、順風帆走する。進みたい方向に流れる海流に乗れば速さを増す。だが、この時代の帆船はまだ向かい風には弱く、船足を阻まれる。風待ち、潮待ちで時間をとられた。逆風にも鋭く切り上がれる現代のヨットとは、まるで比べるべくもない。

もう一つの特徴は、甲板を砲台として使える構造になっていたこと。海賊が跋扈する海域では重要だ。未知の土地などに近づく時には威圧効果があった。ただ、船首が重く、小回りが利かないことなどが欠点だった。それでも、一六世紀半ばに発展形のガレオン船が登場するまでのざっと一〇〇年間、カラック船は大航海時代前期の「海の主役」を担った。

開けた外洋に出れば、船団は夜間も航行した。ピガフェッタの航海記によると、マゼランが乗った旗艦トリニダード号が、船尾に松明を吊して先頭を行く。ほかの船は、この松明の灯りを頼りにしてあとに続く。日暮れから夜明けまで、夜間は各船とも三交代制で見張りを立てた。ロープの切れ端などを燃やした燈火で合図を送り、お互いにコミュニケーションをとった。

方位の測定には、羅針盤を使った。天体にも目を凝らす。風を読み、海流を探る。雲の流れ、飛ぶ鳥の動き、漂流物の種類などにも注意し、陸地との距離を知る手がかりにした。周辺に怪しい船はいないか、警戒も欠かせない。

大西洋に出た船団は、アフリカ大陸西端の沖合に点在するカナリア諸島のテネリフェ島に立ち寄る。最初の寄港だった。そこは、ポルトガルに先駆けてスペインが支配下に置いた小島群で、「物資補給のため」とされるが、まだ出発から一週間だ。実効支配を示すのがもう一つの目的だったのかもしれない。数日して離れ、南西に舵を切って前進する。

しかし、大西洋の航海も順風満帆といかなかった。「赤道に到達するまでは逆風か、凪か、あるい

マゼラン船団が出航後、最初に立ち寄ったアフリカ大陸西端の沖合のカナリア諸島のテネリフェ島。(著者撮影)

航行するマゼランの船団を描いた木版画(1888年)。スペインを出帆した時は5隻の船団だったが、マゼラン海峡に達する時には、2隻が脱落し3隻になっていた。

は無風の雨の連続だった」と、ピガフェッタは書いている。

部族の長「カシーク」

船団が現ブラジルの大都市リオデジャネイロ付近に到達したのは、一二月一三日だ。スペインを出航してから三か月近くが経っていた。ここで、ピガフェッタは土地と住民についての観察を書き残している。少し長いが引用してみよう。

産物がきわめて豊富であり、面積はスペイン、フランス、イタリアを一緒に合わせたような大きさだ。〔トルデシリャス条約で〕この土地はポルトガル国王の領土となっている。住民はキリスト教徒ではなく、またいかなる信仰も持っていない。自然の慣わしのままに生活しており、寿命は一二五歳ないし一四〇歳である。男女ともに衣服を着用しない。彼らは「ボイオ」という大きな家屋に住み、「アマーカ」という木綿の網のなかで眠る。住居のなかの太り梁にその両端をむすんでわたすのである。そしてアマーカとアマーカのあいだの地べたで火をたく。このようなボイオには、いつも一〇〇人ほどの男が妻子と一緒に住んでいて、じつに騒々しい。彼らは「カノア」という、ただ一本の丸太材を石斧で削ってこしらえた舟を持っている。ここの住民は銃というものを知らないから、われわれが鉄器を用いるように石器を用いている。このカノアには三〇人ないし四〇人が乗り込む。そして、パン粉をこねる棒のような形の櫂で漕ぐのだが、彼らの肌が黒く、おまけに裸で頭髪を剃っているため、スティジェ〔ギリシャ神話にある黄泉の国〕の沼の船人たちが漕いでいるみたいだ。

ピガフェッタの記録には、時折、古代から伝わる神話を引用した部分も書かれているが、自らが目にした先住民の習俗については、かなり正確に描写をしているとみられる。ただ、「寿命が一二五歳ないし一四〇歳」とは、あまりにもオーバーではないか。

リオデジャネイロは、今日、「世界で最も美しい港の一つ」がキャッチフレーズの南米きっての大観光都市としてにぎわっているが、五〇〇年前は素朴でむき出しの人間らしい暮らしをしていた様子がうかがえる。

「住民は、男女ともにわれわれ同様、体つきが整っている」との観察に続けて、ピガフェッタはこんな話も書き残している。

彼らは仇敵の肉を食う。しかし、これは美味というよりもただ習慣によるのである。仇同士が互いに相手を食うということの習慣は次のようにして始まった。ある老婆が一人息子を持っていたが、この息子が敵の部族から殺された。それで数日後に、この老婆の仲間が、息子を殺した部族の男を一人捕虜にして、老婆のいるところに連れてきた。老婆はその捕虜を見ると息子を思い出して、まるで狂犬のようにその男に飛びかかり、背中に噛みついた。捕虜はやがて脱走することができた。そして仲間たちに背中の傷を見せて、自分が食われそうになった模様を話した。その後、彼らの部族が敵の部族の者を捕虜にした時、そいつらを食ってしまった。こんどは食われた方の一族が食った方の一族を食い、こういう風習が生じたのである。

この話は、僚船コンセプシオン号の航海長から聞いたのだという。航海長は「以前、この土地で四年過ごした」ことがあるポルトガル人だった。船団には、すでに海外生活を送った経験のある人物も乗り組んでいたことがわかる。

もう一つ、重要な記述がある。ピガフェッタは、地元民の「部族の長」を示す言葉として、「カシーク」を書きとめている。カリブ海やアマゾン流域など広い地域の先住民族、アラワクの単語である。カシークは後年、スペイン語に取り入れられ、「カシケ（cacique）」として主にスペイン植民地の伝統社会の首長ら有力者をさす言葉になった。カシケ由来の「カシキスモ」は、今日、主にラテンアメリカの地方ボスによる政治支配をさす用語として使われている。フィリピン社会の政治分析にカシケを援用する研究者もいる。いずれにしても、アラワク語自体がすでに「死語」と化した歴史などを振り返ると、ピガフェッタの記録の貴重さが随所で浮かび上がる。

願望や誤解にもとづく命名

住民は、マゼラン船団に友好的に接している。船団が積んできた鏡一枚を差し出すと、地元で豊富に捕まえられるオウムを「八羽も一〇羽もくれた」といい、ピガフェッタはこんな話も記述している。「彼らは、手斧か短刀一本との交換に、一人か二人の娘を奴隷として、われわれに提供した。しかし、妻を提供することは絶対になかった。妻の方でもまたどんな代償があろうとも、夫を辱めるようなことはしない、という話であった」

女性たちが働き者であることも特筆しているが、男性は嫉妬深いので、「妻のそばを離れない」との観察を残している。

ピガフェッタは航海記の冒頭で、この著作を「ロードス島の騎士団長に捧げる」と記している。ロードス騎士団は、イスラーム勢力と戦う中世ヨーロッパの十字軍に呼応して組織された武装修道会の一つで、現ギリシャのロードス島に本拠があった。そうした聖職者への配慮からか、長い航海のあいだに船団員が各地でおそらくなしたであろう、性的な逸脱行為については触れていない。それでもピガフェッタは時折、セクシャルな描写をさりげなく挿入している。

ある日のこと、私は提督の船にいたが、そこへきれいな娘が一人上がってきた。何かつまらない用事でも見つけるつもりだった。そうこうして待ちながら、ふと下士官の部屋の方を見ると、そこに一ディト〔約一・八センチ〕あまりの釘が一本落ちているのが目にとまった。娘はそれを拾うと、じつにかわいらしい手つきで秘肉の中へすっぽりと挿入して、すぐに静かな足取りで帰っていった。提督と私はこのさまをすっかり見ていた。

オウムの羽の装身具以外に布をまとわない女性にとって、その場所はポケット代わりに使われていたのだろうか。

マゼラン船団はこの地で水や食料を補充するだけでなく、ミサを執行するなどして一三日間滞在したのち、一二月二七日に出航する。その後も南下を続け、現在のウルグアイとアルゼンチンとの国境を流れるラプラタ川の河口にたどり着いた。年は改まっていた。「南緯三四度二〇分の地点」と、ピガフェッタは書いている。私は念のため、グーグルマップで確認してみたが、ほぼ正確だった。

ここを訪れたヨーロッパ人は、マゼラン一行が初めてではなかった。

スペイン人航海士ファン・ディアス・デ・ソリス（一四七〇〜一五一六年）が率いる遠征隊が、マゼラン船団より三年早い、一五一六年に足を踏み入れている。部下六〇人を引き連れての探検航海だった。「南の海」への出口がラプラタ川の先にあるのではないかと思い、川をさかのぼった。しかし結局、「南の海」への出口は見つからなかった。ソリス自身も流域探査中に地元民とのトラブルに巻き込まれ、殺されてしまう。背景は不明だが、ソリスが地元民に服従を求め、食料を持ってくるよう迫ったことから対立が起きたようだ。

ソリスはマゼラン同様、ポルトガル出身の航海士だが、何らかの理由でスペインに拠点を移していた。妻を殺した罪から逃れるためのスペイン移住だった、との説がある。とすれば、ラプラタで命を落とした事件も因果はめぐるというべきか。船乗りとしては有能だったらしく、探検航海でスペインの「海外領土獲得」の歴史に名を残した一人だ。

ラプラタ川は総延長約四五〇〇キロ。南米大陸では、アマゾン川に次ぐ二番目に長い大河だ。もともとは別の名で呼ばれていたが、ソリスは出会った住民が銀の装身具をつけていたのを見て、流域に大量の銀があると推察して「リオ・デ・ラ・プラタ（銀の川）」と名付けたといわれている。いずれにしても、この時代、外部からの侵入者たちは願望や推察、誤解などから、勝手な地名をつけたのだ。現地の伝統や歴史は無視された。それが今日に尾を引いている。ソリスの到達で、ラプラタ流域一帯におけるヨーロッパ勢力による植民地化の歴史が始まる。そこが、現在のウルグアイであり、アルゼンチンだ。

さて、ピガフェッタの航海記だが、「じつは、この地点から『南の海』に入っていくものと以前は考えられていた。ここから先はまだ探検されたことがなかったのだ。今日になって、それは岬ではなく、河であることがわかった」と書かれている。この記述は、ソリスの航海の結果がスペインの船乗りたちのあいだにはすでに伝わっていたことを示している。

ラプラタ川の河口の幅は「一七レーガ（約九五キロメートル）」もあった。船団は、河口付近で帆を上げた。大陸沿いに南下を続け、三月ごろに南緯四九度まで達した。現在はアルゼンチンのパタゴニア地方の南端に近い場所だ。この緯度を北半球に照らせば、日本近辺なら樺太を貫き、北米大陸ではアメリカとカナダの国境線あたりを横切る。かなりの寒冷地帯で、南半球の三月は晩秋を迎え、そろそろ本格的な冬が始まろうとしていた。

南緯五〇度圏は「猛り狂う」と形容され、今日でも世界の船乗りが最も恐れる海域だ。ましてや五〇〇年前のことである。帆船カラックで乗り切ろうとすること自体、いかに無謀かがわかる。しかし、その無謀さは今だから知れること。ＧＰＳもなければ、海図もないが、こうした挑戦者たちが前人未踏の地に分け入り、くまなく足跡を印してきた。

2……船団が抱えた「反目の芽」が表面化

マゼラン船団はサンフリアンと名付けた港に入り、長期にわたって滞在することになる。もちろん、それを望んだわけではない。寒さと、嵐と、不順な天候で釘付けになったのだ。この一帯では三月から八月末まで過酷な冬が続く。「南の海」に出る海路を探索するには、越冬する必要があったのだ。結局、ここで五か月を費やすことになる。

長身の民族との鉢合わせ

パタゴニア地方での長期滞在で、マゼラン一行は「巨人」と遭遇する。ピガフェッタはここでの観察を、かなり詳細に書いている。

港に停泊して二か月が過ぎたころのことだ。それまで人影を見なかったが、「ある日、思いがけずに、まるで巨人のように大きな男を見つけた」という。その人物は裸で、港の浜辺で踊ったり歌ったりしていた。マゼランは部下の隊員一人を、その人物のところへ行かせ、「友好の印」として彼と同じ動作をまねてから、マゼランらが上陸して待っている小島まで連れてくるように命じた。

マゼランらの前に連れて来られたその人物は、初めてヨーロッパ人を見たからだろうか、「非常に驚き、われわれが天から降りてきたものと信じて、指を一本高く持ち上げる格好をした」という。

ピガフェッタも驚いた。「この男の背の高いことといったら、われわれは彼の腰までしか届かなかった。体つきは均整が取れていた。顔は大きく、赤く塗っており、目のまわりは黄色に塗り、左右両方の頬の真ん中にはそれぞれ心臓の形を描いていた。髪の毛は少なく、白く染めていた。動物の毛皮を巧みに縫い合わせたものを着ていた」

「〔人びとは〕じつに愛想がよく、そして陽気だった」とピガフェッタ。女性の背丈はさほどでもなかったともいう。

この人たちは誰だったのか？

人類学者たちの研究で、マゼラン一行が出会ったのは、南米大陸南端のアルゼンチンやチリに暮らす先住民とみられる。現在は「テウェルチェ人」と総称されている人たちだ。テウェルチェとは、現地の言葉で「険しい地に住む勇敢な人」といった意味だという。

長身の民族であることは確かなようだ。特に男性は背が高い。マゼランは、足も大きな人という意味を込めて彼らを「パタゴーノ」と名付けた。それが後年、「パタゴニア」という地名になった。今では、米カリフォルニアに本社を置くアウトドア製品の有名ブランドとして、世界中にパタゴーノの名が知られている。

パタゴーノは、しかし、ピガフェッタの観察で「われわれは腰までしか届かなかった」と思えたほど巨漢だったのだろうか？

西欧には、古くから巨人伝説がある。最も有名なのは、旧約聖書の「サムエル記」に登場するペリシテ人の兵士ゴリアテだ。イスラエルの王となるダビデと戦って殺された、と記述されている。ゴリアテの身長は二メートル九〇センチもあったとされる。

ピガフェッタは、こうした古来の巨人伝説を踏まえ、航海記の中に忍び込ませたのか。それにしてはピガフェッタの巨人に関する記述は、生き生きと細部にわたって描かれている。ちらっと見てびっくりした印象や錯覚を、ただ書きつけたわけではなさそうだ。彼らの近くで何日も過ごしていたのだ。「腰までしか届かなかった」との表現で、パタゴーノの長身を強調してみせたのだろうか。

余談になるが、ここで人間の背丈について考えてみよう。

われわれホモ・サピエンスは一般に、高緯度地方に居住する民族ほど背が高く、低緯度地方ほど背丈が低いようだ。今日の世界で、国別の平均身長を見ると、トップはオランダ人で男性が一八三・八センチ。二位はモンテネグロの一八三・三センチ、三位がデンマークの一八二・六センチの順になっている。

とはいえ、赤道に近い南太平洋のポリネシアの人たちも、押しなべて高身長で体格がいいのも事実だ。たとえば、トンガの人たち。日本の大相撲で、「南乃島」の四股名で活躍した力士もいた。国王タウファハアウ・トゥポウⅣ世（一九一八～二〇〇六年）は、身長一九〇センチ、体重二〇九・五キロで、「世界一の巨漢国王」としてギネスブックに登録されたことがある。アイルランドの風刺作家ジョナサン・スウィフト（一六六七～一七四五年）の『ガリバー旅行記』（初版一七二六年）に出てくる「巨人の国」は、トンガがモデルだったとの説がある。

だから、なかなか明確には線引きできないが、北半球のヨーロッパでは南に下るほど平均身長は低くなる傾向がある。スペインやポルトガルはヨーロッパ諸国では下位グループに属す。マゼランの出身国ポルトガルの現在の男性の平均身長は一七三・七センチだから、日本人男性の平均身長一七〇・八センチを少し上回る程度だ。

江戸時代、日本人男性の背丈が一五五センチあまりだったことは、さまざまな記録や研究で明らかにされている。身長は、栄養や体育に関する知識が広まり深まるとともに高くなっていった。これは世界共通の現象で、マゼラン時代のポルトガル人やスペイン人の平均身長は一六〇センチ未満だったと推定できるかもしれない。

現代のテウェルチェ人は、世界の少数民族の中でも、身長が比較的高い民族であることは疑いない。テウェルチェ人は学術的にいくつもの種族に分類できるとされるが、男性の平均身長が一八二センチという集団の存在が確認されている。

メジャーリーグで活躍する大谷翔平選手の身長は、一九三センチだ。日本人の平均身長より二〇センチ以上も高い。彼のような長身集団に出会えば、ふつうの日本人は「巨人の群れ」と感じるのではないか。プロのバスケットボールやバレーボールの選手団がそうだ。しかし、テレビなどで見慣れているならともかく、マゼラン一行にとって、テウェルチェ人の背の高さは驚異的だったのだろう。

引き返すべきか、前進か

南半球での越冬のため停泊していたサンフリアン港で、多国籍チームのマゼラン船団員の一部で大きな事件が起きる。船団の監督官や航海長、副船長、財務官ら幹部が反乱を企て、マゼランを暗殺しようとしたのだ。首謀者四人が処刑された。

何があったのか？

マゼランは船団内にいくつかの「反目の芽」を抱え込んでいた。その最大グループが生粋のスペイン人乗組員集団だった。マゼランは、ポルトガル国王に冷遇されたことなどから決別して拠点をスペインに移し、そこで結婚しているが、出身地はポルトガル北部の町である。今風にいえば、「現住所スペイン、本籍ポルトガル」といったところか。

今日の世界を見てもそうだが、隣国同士は仲がよくないのが世の習いだ。イベリア半島の二国も例外ではなかった。言葉も文化も似ている兄弟国だが、どちらが兄で、どちらが弟か。関係が近いほど、長いほど、いがみ合いの根も深くなる。トランシルヴァーノの聞き書きによると、不和や不信が噴出して口論が始まると、その昔、両国のあいだで起きた戦いを持ち出し、お互いが「古い憎しみの言葉」をぶつけ合ったという。

人の交流と国家の付き合いは別とはいうものの、現実はなかなかそうスッキリとはいかないものだ。スペイン人の乗組員、特に幹部クラスの中に、船団を率いるマゼランを信用できず、彼が総指揮官であることを快く思っていない者が相当数いた。伝記作家ツヴァイクが『マゼラン』で記述している。

サンフリアン港に入る前に早くも、マゼランはブラジルのサントアゴスティーニョ岬付近で、船団最大の船サンアントニオ号（一二〇トン）の船長ファン・デ・カルタヘナを解任している。「不服従」を罰したのだ。カルタヘナはスペイン人の財務・会計の専門家で航海の経験はほとんどなかったが、スペイン国王の信任が厚く、それを盾にマゼランとのあいだに摩擦が起き、針路をめぐって対立が表面化したのだとされる。この解任後、曲折を経て、マゼランは従弟でポルトガル出身のアルバロ・デ・メスキータと交代させた。

だが乗組員の中には、これ以上進むことへの恐怖感を抱く者もいたはずで、船団内に陰謀の火種がくすぶっていたようだ。この件では、ピガフェッタはなぜか詳細を書き残していないが、おそらく密告から陰謀が明るみに出たのだろう。首謀者四人は捕らえられ、「四つ裂きの刑」や短刀での刺殺、流刑による極寒地での置き去りなどに処された。

厳しい処分には、マゼランの決意の真剣さと残る船団員への見せしめの意味が込められていたはずである。

マゼランが見た地図の謎

この処分後も、船団に危機が訪れる。

サンフリアンの港を出て、ただ一隻で沿岸部を探索していたサンティアゴ号が難破してしまう。猛風で船体を岸に打ちつけられて壊れ、沈んだ。座礁したとの説もある。いずれにしても、幸い乗組員は全員が無事救出された。だが、船団にとって痛かったのは、七五トンと最も小型ながら、最も軽快

マゼラン船団では、何度も反乱が発生し、マゼランの暗殺が企てられたりした。
上：船員たちによる反乱を制圧するマゼランを描いた版画。中央左に描かれたマゼランが、短剣で首謀者の胸を刺している。
下：反乱が制圧された後、掲げた十字架の下に立ち、両手を広げ、船員たちに忠誠を誓わせているマゼラン。（ともに、ユージーン・ダンブランス〔1865-1945〕画）

な動きができるこの船を失ったこと。救出活動に二か月を費やさざるを得なかったことも消耗だった。

災難が繰り返されたサンフリアンの港（現ポートサンフリアン）だったが、マゼランたちはこの地で「一番高い山」に十字架を立てている。ピガフェッタによると、「土地一帯をエスパーニャ（スペイン）国王の領土であることを証明」する意味があった。それは、ソリスのラプラタ到達で始まった南米大陸東岸南部の植民地領域の拡大への、足がかりを示す十字架だった。香料諸島へのルート開拓と海外領土の獲得。マゼランが託されたミッションを、改めて確認する一場面である。

出発は遅れに遅れ、四隻がそろって港を離れたのは八月二四日。季節は冬の終わりになっていた。


われわれはこの港を出帆し、あと二〇分で南緯五一度に到達するという地点で、淡水の川を発見した。この川で船体は強い時化のために、すんでのところで遭難しそうになった。しかしながら「神とコルポ・サント（聖なるお婆）」が船体をお助けくださった。この川で二か月ほど停泊し、水と薪と魚を補充した。この魚は腕ほどの長さ、あるいはそれ以上で、鱗に覆われ、味はたいへんおいしかったが、数は少なかった。ここから出帆する前に、提督とわれわれ隊員全員がまことのキリスト教徒にふさわしく告解（神父の前での懺悔）をし、そして聖体を拝領した。


ピガフェッタの航海記は、随所で「神の恵み」に感謝するエピソードが綴られている。信仰心の深さと、底知れぬ危険な遠洋航海を、神の霊験を得て乗り切りたいという願いが強くにじむ。

その後、同じく南緯五二度の地点で、「一万一千の聖母の日」に霊験まさにあらたかに我々は海峡を発見し、その岬に「一万一千の聖母の岬」という名をつけた。その海峡は長さが一一〇レーガ〔約六二〇キロメートル〕、幅はだいたい半レーガ〔約二・八キロメートル〕であった。

岬にたどり着き、ついに海峡発見に向けた希望の光が見えてきた。その日（一〇月二〇日）が聖母の日だったこともあり、「霊験」と受けとめて喜びを表現した。海の細道は、もう一つの海である「南の海」、つまり太平洋へと通じていたことが、後日に判明する。

海峡の全長は、実際には約五五〇キロメートルで、幅は三キロメートルから三〇キロメートルだが、ピガフェッタの記述はおおむね正しかったといえる。岬をかわして進むと、「両岸は雪をいただいた非常に高い山で囲まれている。海峡は非常に深く、岸のすぐ近くでも二五ブラッチョないし三〇ブラッチョ〔約四五メートルから五五メートル〕までは、錨が海底に達しなかった」と細かい記述を残した。

この場面に続けて、ピガフェッタは「ここで提督がいなかったならば、われわれはこの海峡を発見できなかったであろう」と特筆している。

なぜならば、われわれはこの水路が陸地で閉ざされているものと考え、そのように意見を述べていたからだ。しかし、提督は以前ポルトガルの王室の宝蔵庫で、あの卓越した世界誌学者マルティン・ディ・ボエミアが作製した地図を見たことがあり、それによってある非常に狭い海峡を通って航行すべきことを知っていたので、かの水路の奥がどのようになっているか探索するために、サンアントニオ号とコンセプシオン号の二隻の船を派遣した。

果たしてどうだったのか。

マゼランが見たとされる地図の作製者「ボエミア」は、今日では一般に「マルティン・ベハイム」（一四五九～一五〇七年）の名で知られ（図2-4参照）、ポルトガル王につかえたドイツ出身の地理学者だ。詳しくは改めて後述するが、一五世紀後半のヨーロッパでは、拡張する交易圏と「世界」認識の変化などを背景に、地図づくりが盛んになっていた。とはいえ、今日のアメリカ大陸やアジアなどについては、まだ多くが想像の域を出ていなかった。

そうした地図を見た記憶がマゼランの総指揮官としての第六感を刺激し、「水路の奥」へと導いたのではないだろうか。

執念と霊験が「出口」へと導く

しかし、一難去ってまた一難。海峡ルートの開拓には、もう一つの災難が待っていた。

マゼランは、自身が乗る旗艦トリニダード号とビクトリア号を水路の入り口で待機させる一方、サンアントニオ号とコンセプシオン号の二隻に「水路の奥」の探索を命じた。

暴風など悪天候に阻まれて、探索は難航したが、水路の先が奥深いことを突きとめる。ところが、さらに二隻で進むはずだったが、先行したサンアントニオ号がコンセプシオン号を待たずに、船団から離脱し脱走したことが判明する。「はぐれた」との説もあるが、はっきりしない。いずれにしても、サンアントニオ号は、半年後、スペインに勝手に帰還している。おそらく夜のとばりにまぎれ、全灯を消し、こっそりと大西洋に逆戻りしたのかもしれない。

思い出していただきたい。このサンアントニオ号、一年ほど前の一五一九年一一月にも、現在のブラジル沖で反乱を起こしている。その後、船長は、マゼランの親戚でポルトガル出身のメスキータに替わった。ところが、この船の事実上のナンバー2だった航海長エステバン・ゴメスは、自身もポルトガル人ながら、マゼランに対してかねてから「大きな憎しみを抱いていた」と、ピガフェッタは記している。憎しみの背景については、詳しく触れていない。

伝記作家ツヴァイクによると、想像を超えて長期化する難航に、船団幹部のあいだで「引き返すべし」とする主張と、「続行して前進すべきだ」という意見との対立があった。ゴメスは帰航派で、一度帰国してから態勢を立て直し、再度、挑戦する方が良策と公然と口にした。航海期間を二年と想定して積んだ食料も、底が見え始めていたからだという。じつは、ゴメスもマゼランの親戚だったとの説がある。縁者の気安さが率直さを後押ししたのだろうか。マゼランはあくまでも前進にこだわり、反発したゴメスは船の指揮権を握って脱走したようだ。船長メスキータは身柄を拘束されたといわれる。だが、その後の消息はわかっていない。

こうしてマゼラン船団は、南の海に出る前に、二隻の船と相当数の船団員を失った。船団の最小船で軽快な動きができるサンティアゴ号と、最大の船で食料の多くを積んでいたサンアントニオ号だ。想定外の手痛いハプニングだった。それでも、総指揮官マゼランは船団員をなだめ、懇願し、鼓舞し、時に非情さも見せつけながら、巧みに人心を操縦した。

トランシルヴァーノの聞き書きによると、船団員を前にマゼランはこう語っている。

「これまで一度も、パンと葡萄酒を欠かしたことはなかった」としたうえで、「これから先も割当量を守るなら、欠乏することはあるまい」と楽観論をぶち上げ、「腹いっぱい飲み食いするという欲望を満足させたいとは思わないでほしい」と辛抱も求めた。そして「〔まだ〕人から称賛を受けるに足ることは何ひとつ成し遂げていないし、今から引き返す必要にも迫られていない」と説き、「最後に諸君に知ってもらいたいことは、恥辱と汚名をこうむってエスパーニャに引き返すくらいなら、私はむしろ死んでしまおうと決心している」と悲壮な思いを吐露している。このミッション遂行の「労苦が大きければ大きいほど、自分たちが受ける栄光も名誉も、報酬も恩賞も一段と大きいものとなるであろう」と、ニンジンをぶら下げてみせた。

ともあれ、南の海に出るルートは見つかった。マゼランの執念と偶然や霊験が、船団を水路の出口へと導いたのだ。ツヴァイクは、マゼランの「忍耐」に加え、「揺らぐことのない用心と洞察」を称賛している。出口の発見が現実になった時、マゼランは「喜びのあまりハラハラと涙を流した」という。ピガフェッタの航海記では、マゼランが涙を流したのは、あとにも先にもこの場面しかない。

マゼランは出口の岬を「カーボ・デセアード（待望の岬）」と名付けた。気持ちをストレートに表した命名だ。今もこの名が残っている。

「敵意を持ったかのような風が、時に不意の旋風をともなって不穏な海峡を吹き抜け、海を波立たせ、帆を切れ切れに引き裂く。常にあらゆる方向から北風が吹きつけている。その後の数世紀にわたって、そこは船乗りの恐怖の的となり、陽光に恵まれて静かにのんびりと通り抜けられた試しがない」――後に「マゼラン海峡」と名付けられるこの水路について、ツヴァイクはこんなふうに描写している。

マゼラン海峡は、南極圏の南緯五三度付近に位置する。一月から二月は真夏だが、この季節でも肌寒い。沿岸に樹木の緑はまばらで、モノトーンの景色が広がる。そこは氷河による浸食で形作られたフィヨルド地形で、細い水路が複雑に入り組む。まるで迷路だ。この光景を目の当たりにすると、GPSはもとより地図さえなかった五〇〇年前、現代人には考えられないほど貧弱な船で、よくぞここ

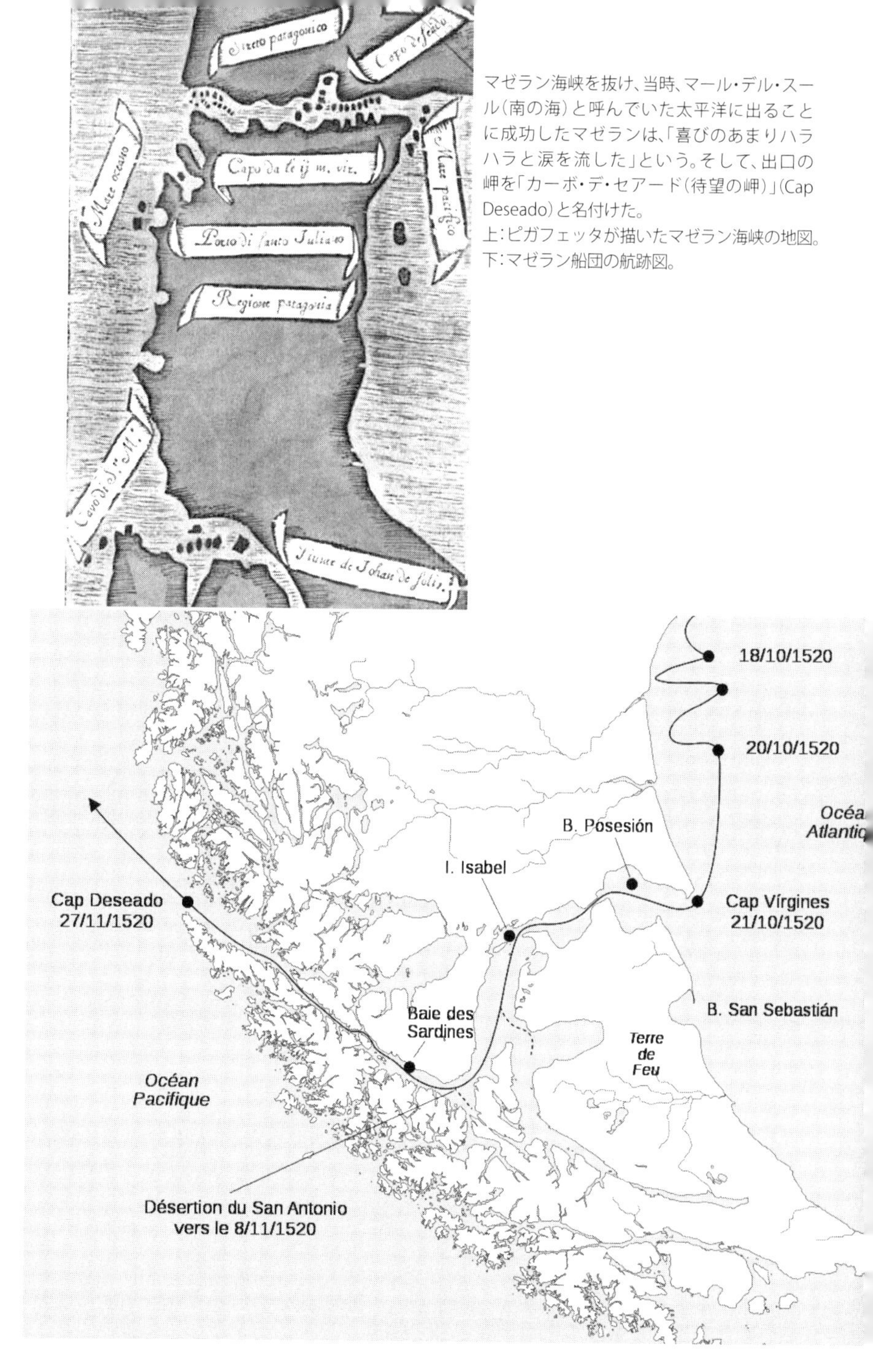

マゼラン海峡を抜け、当時、マール・デル・スール（南の海）と呼んでいた太平洋に出ることに成功したマゼランは、「喜びのあまりハラハラと涙を流した」という。そして、出口の岬を「カーボ・デ・セアード（待望の岬）」（Cap Deseado）と名付けた。

上：ピガフェッタが描いたマゼラン海峡の地図。

下：マゼラン船団の航跡図。

を見つけ、通り抜けたものだ。感服するしかない。この海峡ルートの開拓こそ、マゼランが後世に残した最大の功績の一つといえよう。

マゼラン海峡は、一九一四年にパナマ運河（全長約八〇キロメートル）が開通するまで、大西洋と太平洋を結ぶ船舶往来の貴重な航路として利用され続けてきた。一八八一年に締結されたチリ・アルゼンチン間の国境画定条約に基づき、「自由航行が可能な国際海峡」と認定されている。以来、この海峡は今日でも無料で通過できる。南半球の米大陸南端に位置するブラジル・アルゼンチンなどから太平洋に抜ける船舶は、マゼラン海峡を利用する方が便利だ。

しかし、北半球からではそうはいかない。パナマ運河以前は、メキシコやパナマなど中米で、太平洋側か大西洋側の港に船をつけて陸上を横断する。これなら、わざわざ危険で遠回りのマゼラン海峡航路を使わずに、二つの大洋をつなげられる。あとで詳述するが、一六世紀後半から始まった、メキシコ経由でフィリピンとスペインを結ぶ貿易は、もっぱらこのルートを使った。

さて、パナマ運河だ。北半球を運航する船がここを使えば、今日ではマゼラン海峡航路より平均二〇日短縮できる。その分だけ燃料も節約できる。だが、高額の運河通航料がかかる。

通航料は、船種や重量、コンテナの積載可能容量などによって細かく設定されているが、二〇二二年時点でざっくりいえば一トン当たり約一・五米ドルだ。一〇万トン級の豪華客船なら、通過するだけで一五万米ドルを徴収される勘定である。パナマ当局は、通航料値上げの意向を毎年のように表明し、国際海運業界との摩擦を繰り返している。海峡や運河は、関係国にとって重要な戦略資産だ。

3……穏やかな海ですさまじい飢餓

マゼランは、少なくとも当初、広大な海を眺めながら意気揚々としていたに違いない。当時の地図はどれも、そこが大西洋よりもずっと小さく、地中海の横幅の三倍程度にしか描かれていなかった。ヨーロッパの誰もが乗り出したことがない海だ。地図は想像の産物だった。一か月ほどの航海で、どこか陸地にたどり着くと楽観していたのではないか。

西北西から北西に舵を切る

しかし、その楽観は次第に打ち砕かれていく。進んでも、進んでも、海また海だった。実際には、太平洋は地球のほぼ半分近い広さを持つ。

ピガフェッタの航海記によると、南緯五三度の海峡を抜け、「待望の岬」と命名した地点をあとにしたマゼラン船団は、すぐに西北西へと針路をとった。だが、この舵取りはハズレだった。未知の大海原だから、やむを得ないことではあるが、まずは北上すべきだった。

現代の海洋学や気象学が示す太平洋の海流は、南半球だと、南米大陸の西岸に沿ってペルー付近まで北上する流れがある。「フンボルト海流（ペルー海流）」と呼ばれる寒流だ。この流れは、赤道近くで西へと方向を変え、南太平洋海流に合流する。効率よく太平洋を横断するには、このコースで海流をつかんで西進すべきだった。

マゼラン船団が進んだ西北西の海域にはほとんど海流がなく、風だけが頼りだった。その後、船団は北西に舵を切る。結果として、これが正解だった。西北西から北西へ、わずかな変更のようだが、赤道方向に近づくにつれ外気温が増していく。

進路変更は偶然だったのか、何らかの勘が働いたのか？　マラッカ周辺の海を熟知しているマゼランだ。初めは手探りの舵取りだったろうが、途中で、このコースを進めばめざす香料諸島にたどり着ける、との思いがひらめいたのかもしれない。

ピガフェッタによると、北西に進路を変えたことで、船団は「非常に富裕な二つの島からほど遠からぬあたりを通過した」という。その一つが「南緯二〇度にあるチパング（Cipangu）という島」で、もう一つは「南緯一五度にあるスムディト・プラディト（Sumbdit Pradit）という名前の島」だというのだ。

「チパング」は、イタリアの冒険家マルコ・ポーロ（一二五四〜一三二四年）が、東洋への旅を終えてヨーロッパに伝えた地名だ。「ジパング」とも音訳され、一般には「日本」と解釈されている。日本人も、多くはそう信じてきた。「黄金の国」伝説が琴線に触れる。しかし、日本だとすれば「南緯二〇度」は腑に落ちない。念のため、プロジェクト・グーテンベルクの原文で調べたが「南極の緯度二〇度」とあり、確かに南緯二〇度と記述されていた。

マルコ・ポーロ以来、ヨーロッパの地図には「ジパング」が描き込まれるようになったのだが、その位置は北半球の赤道近辺とする地図が多かった。しかもピガフェッタは、赤道よりさらに二〇度も南と認識していた。どうしたことか？

じつは「ジパング＝日本」説には異論がある。これについては、第４章で改めて触れたい。ジパングから「遠からぬあたり」に進んだとするピガフェッタの記述から、少なくとも船団の位置

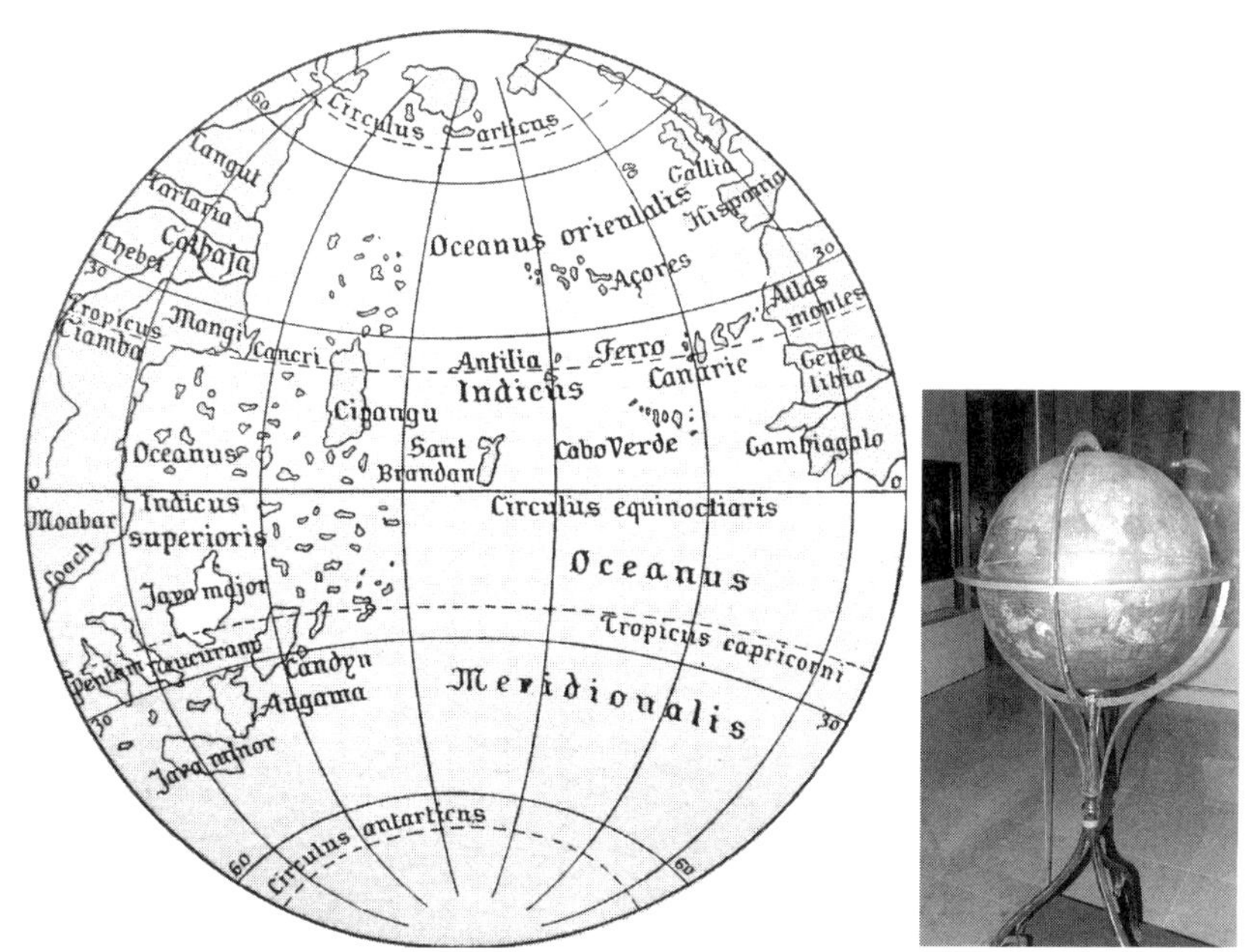

右：ベハイムによる現存する最古の地球儀（1492年。独ゲルマン国立博物館蔵）。
上：この地球儀を模写したもの。アメリカ大陸はなく、左側はユーラシア、右側はヨーロッパとなっている。中央の左上の「Cipangu」とある島は、日本のこととされる。その右にある島が「Antilia」。
下：マゼランの太平洋横断の航跡（米ボストン公立図書館蔵）。

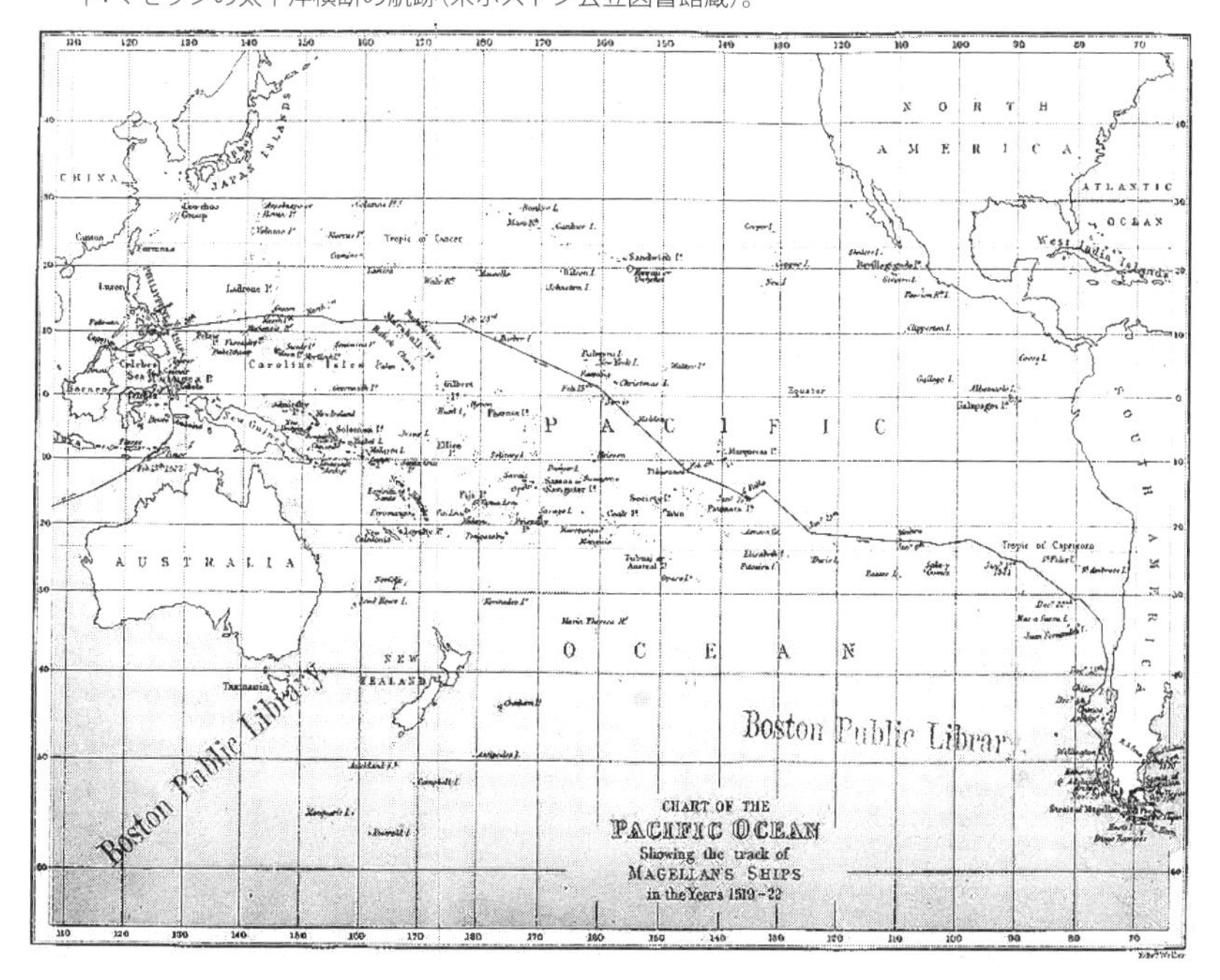

取りはうかがえる。ちなみに、スムディト・プラディトは、一五世紀後半の地理学者マルティン・ベハイムが描いた地図に載っていた「アンティリア（Antilia）」をさすと見られている（67ページの図版を参照）。ポルトガル語で「反対側の島」という意味だが、実際には存在しない空想の産物だ。

進路変更で西に流れる海流に乗り、赤道周辺を東から西へと吹く貿易風の後押しを受けた。ピガフェッタは、この間の航行距離を一日五〇～七〇レーガ（一レーガは五・六キロメートル）と書いている。昼夜を帆走すれば、一日で二八〇～三九二キロメートルになる。時速にして一一・六～一六・三キロメートル。海里、すなわちノット（一ノットは一・八五二キロメートル）に置き換えると、六・三～八・八ノットになる。風と海流次第ではあるが、帆船の平均時速は現代でも一〇ノット前後とされるから、五〇〇年前としてはかなりのスピードだ。

歴史上、木造帆船で最速だったのはイギリスのクリッパー船「カティサーク」とされる。紅海と地中海を結ぶスエズ運河が開通した一八六九年の進水で、時速約一七ノットで快走したとの記録が残っている。全長は八五メートルで、全幅一一メートルだったから超細身だ。中国から紅茶をいち早くイギリスに運ぶ目的で建造され、スピード最優先のプロポーションだった。この点、マゼラン船団のカラック船は全長と全幅の比率が三対一で、安定性重視の造りだった。

横道にそれた。航路を戻そう。

ピガフェッタは、こうも書いている。「この間、陸地はまったく見えず、小さな無人島が二つあっただけ」だったという。「小島と樹木のほかは何もなかった」ので「イゾーレ・インフォルトゥナーテ（悲運の島々）」と名付ける。その位置は南回帰線内で、一つは南緯一五度、もう一つが同九度。この情報をもとにした欧米の研究では、前者はフランス領ポリネシアの東北域にあるプカプカ島で、後者はキリバスに属すフリント島と推定できるという。

　船団はその後、赤道をまたいで北半球に入り北緯一三度付近に至る。この針路も、南赤道海流に並行する北赤道海流が流れ、順風の貿易風が吹き、西へと快走する。気温が上がって暑かっただろうが、甲板に出れば風が癒やしてくれた。

　しかし、ここで疑問がわく。太平洋に出てからの三か月あまりの航海で、「悲運の島々」以外に陸地を見なかったとは不思議だ。船団が進んだ海域は、いわゆる今日「ポリネシア（多くの島々）」や「ミクロネシア（小さな島々）」と呼ばれる一帯だ。当時から人が住んでいた島が数多くあったはずである。そこを、かすりもしなかったのか、それはなぜだったのか。

　太平洋で船団は快走したが、問題は食料不足だった。ピガフェッタの描写をあえて繰り返すと、「三か月と二〇日間、新鮮な食べ物は何ひとつ口にしなかった」というのだ。確かに、当初二年と見込んで用意した食料だったが、航海の思わぬ長期化が計算を狂わせたのだろうし、食料の三分の一を積んでいたとされるサンアントニオ号の脱走も響いた。途中での補給もままならなかった。乾パンはあらかたが「粉くず」状態で、「虫がうじゃうじゃ」とわいていた。

　すさまじい飢餓に襲われたのだが、ここでも一つの謎が残る。なぜマゼラン船団は、海から食料を補充しようとしなかったのか？

　釣り道具は積んでいた。各船には上陸用などの舟艇「バッテルロ」も備えていた。釣り船としても使える。実際、ピガフェッタは、フィリピンに到達してセブ島に行く途中で魚釣りをしようとして足を滑らせ、海に落ちたエピソードを書いている。ところが、その前の飢餓で苦しんでいた太平洋上では、漁をする描写はないのだ。太平洋を航行中、暴風雨には遭遇しておらず、海面はずっと穏やかだったはず。それなのに、魚を捕まえるなどして海の幸を手に入れようとしなかったのだろうか。

ただ、確かにピガフェッタにはないが、トランシルヴァーノは遠征調書で「悲運の島々」に寄った理由として、乗組員たちに休養をとらせるためと書き、そこで「魚をとったり」して二日間留まったとの記述を残している。「すこぶる上等の魚がいたから」とも書き加えているが、トランシルヴァーノにも他には魚を手に入れたことをうかがわせる描写は出てこない。

どうしたのか、「ありあまるほど」の海の幸

視点を変えてみよう。

時代は下って、一九四七年四月二八日のこと。ノルウェーの人類学者で探検家トール・ヘイエルダール（一九一四〜二〇〇二年）は、古代の手法で造ったバルサ材（葦の一種）の筏(いかだ)で南米ペルーから太平洋横断の旅に出発した。仲間五人も乗った「コン・ティキ号」だ。目的は、太平洋諸島で暮らす住民のルーツが南米にあり、いにしえの人びとがそこから太平洋の島々に冒険的移住をした、とする仮説を実証することだった。

コン・ティキ号は、三か月あまりでフランス領ポリネシアのラロイア礁にたどり着いた。全員が無事で、島の人たちから大歓迎を受けた。その「偉業」は、ヘイエルダールが翌一九四八年に執筆した『コン・ティキ号探検記』を通じて、世界中の読者に感銘を与えた。大ベストセラーとなり、世界六二か国語に翻訳され、二〇〇〇万部を売り上げたとされる。

だが、ヘイエルダールが実証したかに見えた仮説は、近年の遺伝子学による民族調査で否定されている。ポリネシアなどの人びとのルーツは南米ではなく、中国南部や台湾に祖地があった。学術的に

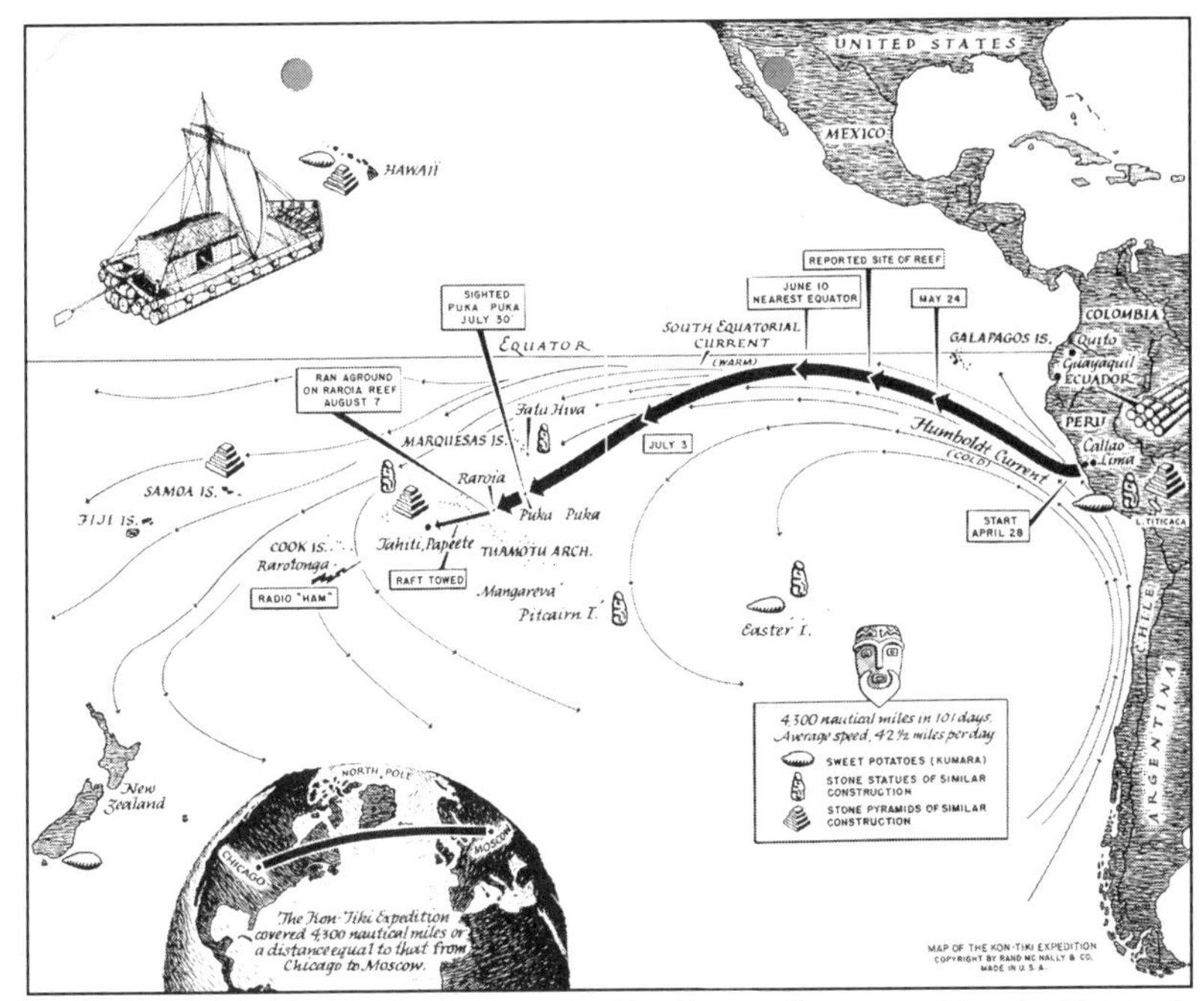

1947年。ノルウェーのトール・ヘイエルダールは、バルサ材のいかだ「コン・ティキ号」で、南米ペルーから太平洋横断の旅に出発。3か月あまりで、フランス領ポリネシアのラロイア礁にたどり着いた。上：その航路図。下：航海中の「コン・ティキ号」。（オスロのコン・ティキ号博物館より）

は「オーストロネシア語族」と分類される人たちで、台湾あたりから南下し、フィリピン諸島やボルネオ（カリマンタン）島、ニューギニア島などを経由して拡散したことが証明されている。紀元前数千年から一〇世紀前後にかけての移動だった。東は太平洋最東端のイースター島、南はニュージーランド、西はアフリカ大陸東海岸沖のインド洋に浮かぶマダガスカル島まで、きわめて広範囲にわたる。日本も一部で重なる。祖族はモンゴロイド。一帯の人びとは、生物学的にも言語学的にも類縁性があるというのが今日の学説だ。

コン・ティキ号が通った海路は、マゼラン船団のそれとかなり近い。航海に要した日数もほぼ同じ。この間、島などに立ち寄って補給する機会がなかった点も共通する。

ところが、ヘイエルダールは「太平洋上で飢え死にするのは不可能だ」と著書『コン・ティキ号探検記』に記している。筏の上にいるだけで、トビウオや時にはシイラなどの大物の魚が頻繁に飛び込んでくる。ちょっと網を張れば、小魚や食用になるプランクトンなども大量に捕れたからだという。

確かに、彼の筏とマゼラン船団のカラック船とでは、海面からの高さが違う。とはいえ、マゼラン船団員は、四方に広がる海に「ありあまるほど」の魚が泳ぎまわっている光景を見たはずだ。ピガフェッタの航海記にも、大西洋を南下した海域で魚や貝を食料として捕った記述が何か所かある。「飢え死にすることが不可能」な太平洋上で、船団員が次々に命を落とすほど、ひどい飢餓に襲われていたとは……。

誤解が招いた悲劇

飢えに苦しんでいたマゼラン船団は、フィリピン諸島に到達する一〇日ほど前、初めて有人の島影を見て接近する。新鮮な食料補給のためだった。ところが、ピガフェッタによると、島の住民が素早く近づき、「あきれるほどの素早さ」で、舟艇バッテルロを奪い取ったというのだ。マゼランは立腹し、武装兵を指揮して上陸し、数十軒の家屋を焼き払い、七人を殺害した。船団はバッテルロを取り戻したものの、食料を入手できないまま島を離れた。マゼランたちは、この島を「イスラ・デ・ラドローネス（泥棒の島）」と名付ける。

そこは今日のグアム島と見られる。ミクロネシア海域のマリアナ諸島南端に位置する最大の島だ。ピガフェッタは、住民とその暮らしぶりについて客観的な記述も残している。「背丈は我々と同じぐらいで均整がとれている」「女は美しくほっそりしており、男よりも色白である。髪の毛はほどいたままで長く、漆黒で、地面まで届く」などなど。

そして、彼らが「船に忍び込んできては、手あたり次第に物を盗んだ」ことの背景については、こう推測している。「あの島の者たちは、それぞれが自分の意思に従って生きており、彼らに命令するような人はいない」「これらの泥棒たちは、その行動から判断するに、この地上に自分たちのほかには人間が存在しないと考えている様子だった」と。

当時のグアム島先住民の日常的な行動範囲は、近隣のサイパン島あたりまでだったろう。域内に他民族もいなければ、侵略や戦争などもなく、「外界」の存在は意識外だったのではないか。初めて外界からの未知の来訪者だったから、接し方がわからなかったのではなかろうか。「他者の所有物」という概念をも持ち合わせていなかったのではないか。

住民を殺害し、島を立ち去ろうとするマゼラン船団を、グアム島の先住民は「一〇〇隻以上の舟」を連ねて五キロ以上も追いかけてきたという。果敢かつ大胆な行動だ。

「舟には男に混じって、何人かの女が泣き叫んだり、髪の毛をかきむしったりしているのが見えた」とピガフェッタは記し、「きっと殺された男たちのことを悲しんでいたのだ」と推しはかった。

後年、この島の首長は、自分たちの土地が「ラドローネス」と呼ばれていることを知って大いに憤慨し、「グア・ハム」と名乗るようになったとの逸話が同島に残っている。「盗んだ」のではなく、「共有した」のであり、グア・ハムとは「何ひとつ足りない物はない土地」を意味するという。

文化の違い、所有の概念の相違から、「奪い」「奪われる」トラブルに発展し、人命が失われた。

島を離れたマゼラン船団は、さらに南西へと針路をとった。かくして、フィリピンの一角にたどり着く。グアム島もフィリピン諸島も、四四年後の一五六五年に、スペイン勢力の植民地支配下に組み込まれるとは、まだ誰も想像すらできなかった。

第3章

バランガイ社会の人びとと暮らし

マゼランとセブの「王」フマボンとの血盟

［扉図版］

マゼランは、セブ入港の翌日、「ラジャ（首長）」フマボンの申し出で、お互いの右腕の血を「少し杯にとってする儀式」、「血盟」の契りを結んだ。以後、二人は「義兄弟」と呼び合い友好的に接遇する。（セブの博物館で、著者撮影）

1……セブのラジャと結んだ「血盟」の契り

もうだいぶ前（二〇〇〇年ごろ）になるが、観光旅行でセブ島を訪れたことがあるという大学生に、「へぇ、フィリピンに行ってきたんだね」と聞き直すと、「いや、セブだけです」との返答。「？…？…」。当時、日本ではフィリピンの治安の悪さを伝えるニュースがたびたび報じられるので、ツアー会社のパンフレットは「フィリピン」の文字は隅っこに申しわけ程度に小さく印字し、「楽園セブ」「直行便で夢のリゾートへ」などと大書して売り込んでいた。

セブ島は、フィリピン中部のビサヤ地方の真ん中に位置する。南北に細長く、面積は四四六八平方キロ。山梨県ぐらいの広さだ。中心のセブ市は、マニラ首都圏に次いで、事実上、フィリピン第二の規模を誇る都市である。マニラを東京に置き換えるなら、セブは歴史や文化、経済的な意味で、大阪に相当する関係にあるといえようか。周辺の七市六町で「メトロセブ（セブ大都市圏）」が形成されている。総人口は三〇〇万人を数える。

入港する船は税を納めよ

セブの港に、三隻のマゼラン船団が入ったのは、一五二一年四月七日の正午だった。サマール島南方沖への到達から三週間後のことである。

マゼランは入港に際し、和戦両様の構えをとった。威風堂々の姿勢を強調しつつ、威嚇的な態度も崩さなかった。同行していたピガフェッタの航海記によると、セブに近づいた時、三隻はマゼランの命令で満艦飾を施す。船団は帆を下ろして戦闘隊形をとり、「全門の大砲を一斉に発射」した。住民は「非常な恐怖」におののいた。周辺地域一帯で最有力とされるセブの「王」ラジャ・フマボンも、群衆も、「ボンバルダ（臼砲）」の威力に驚愕する。マゼランは、セブ島に向かうまでのあいだ、この島の地理的な重要性や同地の「王の令名」に関する情報を仕込んでおり、まずはヨーロッパのパワーを見せつけておこうという腹積もりだったに違いない。

「チッチッチッチッ……」。フィリピンの人たちは、舌を上あごに絡め、息を吸い込むようにしてヤモリの鳴き声をまねる。驚いたり、あきれたり、嘆いたり、そして時には感心したりする表現だ。この時もさぞ、セブの港ではそこかしこでヤモリの鳴き声が響いたことだろう。

マゼランは、フマボンに、「ボンバルダの一斉射撃」は「平和と友好と、その国の王に対する儀礼の印」だと説明し、自分たちは香料諸島をめざして航海中だが、この地で食料の補充をしたいので訪れた、と来島の目的を伝えた。

フマボンは、船団の訪問を歓迎しながらも、「港に停泊する船は、すべて税を納めることになっている」と告げる。フマボンは「ラジャ（首長）」としての矜持を示すとともに、外交も心得ていたようだ。遠方から交易などでやって来る商人たちの扱いに通じていることを伝えたかったに違いない。「つい三、四日ほど前にも、黄金と奴隷を積んだシャム（今日のタイ）の帆船が一隻、この税を納めた」とたたみかけた。そして、信じないのであれば、証拠を見せてやるとばかりに、シャムから来て

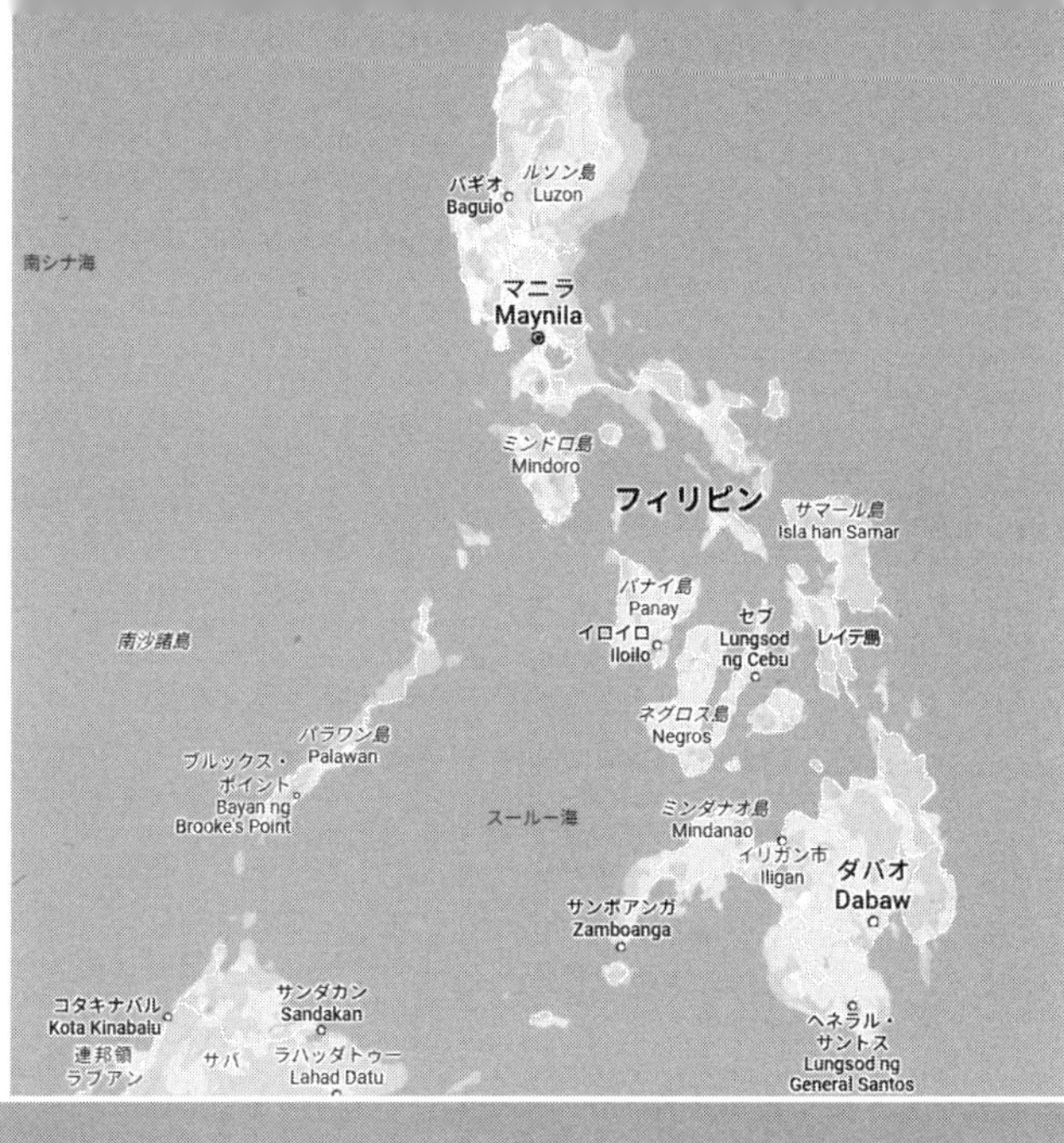

マゼラン船団が、フィリピン諸島で最初に見た大きな島・サマール島から、セブの港に入ったのは、3週間後のことだった。マゼランは入港に際し、和戦両様の構えをとり、「全門の大砲を一斉に発射」した。

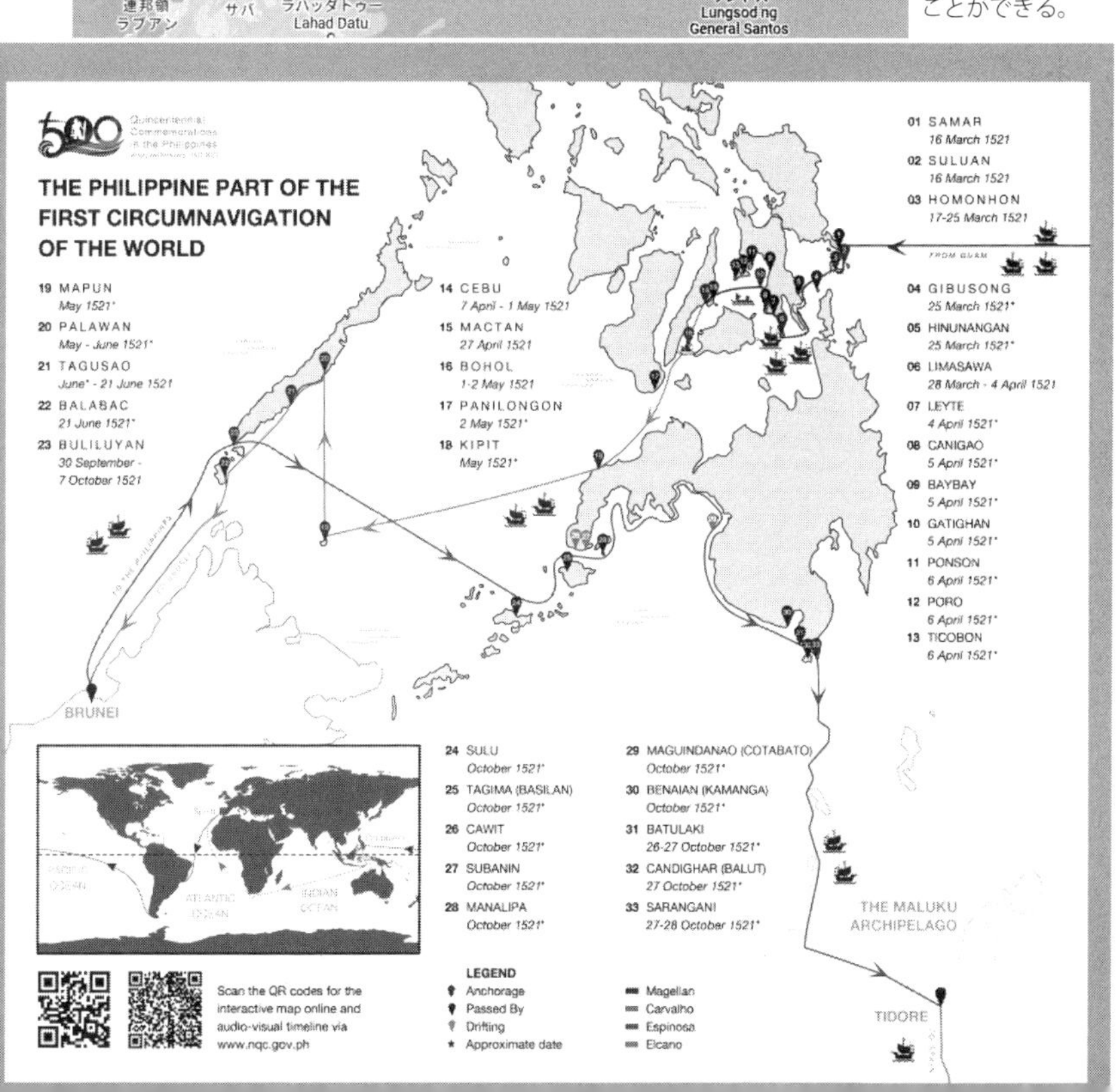

上：フィリピン全図。下：「500周年委員会」が作成した、マゼランの航跡と立ち寄った地点。左下のQRコードを読み取ると、詳細な航路を描いたHPを見ることができる。

いた「モロの商人」をマゼランの前に連れてこさせた（当時のタイ南部は、すでにイスラーム化が進んでいた）。

最も確かな友情の印

しかし、マゼランも強い態度を崩さなかった。自分は「偉大な国王の提督」であり、「世界のいかなる王に対しても税を納めることはしない」と拒んでみせ、「平和を望むなら平和を、戦争を望むなら戦争を、そのいずれかを選ぶがよい」と迫った。この場面は、ピガフェッタが航海記に残した山場の一つである。

すると、シャム商人はフマボンに耳打ちする。彼らはマラッカやインドのカリカットを征服した連中だから、逆らわない方が得策だ、と注意を促したのだ。シャム人の商人は、マレー海域でのヨーロッパ人たちの動向をしっかりと把握していたことがわかる。

フマボンは「臣下の者たちと相談」するとして即答を避け、慎重に対応した。最有力の首長であっても独断で物事を決める絶対的な権力者ではなく、配下の意見も聞く体制になっていたことをうかがわせる。フマボンはその日、マゼランの使者らを酒食の宴に招き、手厚くもてなした。そのうえで翌日、シャム商人の助言に従う。

ラジャ・フマボンは外交巧者ぶりを発揮したようだが、何を念頭に判断したのだろうか？

ピガフェッタの描写によると、フマボンは小太りで、肌には「火でさまざまな模様の入れ墨」をしていた。刺繍を施したターバンを頭に巻き、「非常に高価な首飾り」を下げ、そのうえ「宝石をちりばめた大きな金の耳飾り」も二つつけている。「多数の家臣」を従えていた。

マゼランはセブ入港の翌日、フマボンの申し出で、お互いの右腕の血を「少し杯にとってすする儀式」を交わした。「血盟」の契りを結んだのだ。フマボンは「これが最も確かな友情の印である」と告げる。以後、「義兄弟」と呼び合い友好的に接遇する。ここでも、折につけ宴席を設けて飲み食いを重ね、関係を深めていく。ピガフェッタは、義兄弟の間柄になることを現地の言葉で「カシカシ」と記述している。フィリピン各地には同様の血盟の慣行があり、マニラ周辺で使われてきたタガログ語などでは「サンドゥゴ」と呼ぶ。「血を介して一つに結ばれる」という意味だ。

マゼランとフマボンは、時には使者を立て、お互いの慣習に関する情報を交換した。和平の取り決めなど重大事の会談について、マゼラン側が「秘密に行うのか、公開で行うのが習慣か」と尋ねると、フマボン側は「公開して行う」と伝えている。王が亡くなったら、誰が王位を継承するのかという問いには、フマボンは自分には男子がいないので、甥（おい）が自分の長女と結婚して「太子」になっている、と答えている。

首長の地位は、一般的に世襲だったとされる。だが、状況次第で柔軟に対処していたとみられる。フィリピンの親族関係は、父系か母系のどちらかに偏向して帰属する単系制ではなく、どちらにもつながる双系制が伝統だ。父方にも母方にも、状況次第で都合のいい方につくという融通がきく制度で、今も変わっていない。加えて、誕生や成年、結婚などに際した儀礼を通じて義理の関係が広がる拡大家族制もフィリピン社会の特徴だ。首長も厚い親族集団に囲まれており、状況に応じてそこから後継首長が出てくる仕組みがあったとみられる。

「宿務」は交易ビジネスのハブ

ラジャ・フマボンは、マゼランと血盟を結んだのち、贈物を交換した。ピガフェッタの航海記によると、フマボン側は太子がプレゼントを持参し、「いくつかの籠に入れた、米、豚、山羊、それに鶏」を差し出して「提督のごとき身分のお方に、このように貧弱な贈物をさしあげることをお許し願いたい」とへりくだった。これを受けて、マゼランは太子に「上等の白い布地、真っ赤な縁なし帽子、ガラス玉の首飾り、金色のガラスのコップ」を贈った。

フマボンらが西洋人を目の当たりにしたのはマゼラン一行が初めてだったかもしれないが、セブはすでに地域一帯の主要な交易港として機能していた事実がうかがえる。交易のネットワークは、ミンダナオ島やスールー諸島をはじめ、ルソン島、さらにはボルネオ島など南シナ海域のマレー世界、中国、インドシナ半島沿岸に連なっていた。先に見たように、イスラーム教徒のシャム商人も出入りしていた。

「われわれはこの町にたくさんの交易品を荷揚げし、王が安全を保証してくれた建物に品物を保管し〔……〕、物資を大口で交易することになった」。そうピガフェッタは書いている。交易品を入れた倉庫を島民たちに見せると、島民は青銅や鉄などを欲しがり、替わりに黄金を差し出したという。ピガフェッタが書き残したエピソードだ。

この記述についての伝記作家ツヴァイクの解釈は、剣、槍、鍬、鋤などに利用できる青銅や鉄などの「堅い金属」に比べれば、島民たちには「やわらかく黄白色の金は、価値が乏しいもののように思われた」というもの。つまり地元の人びとは、それほどたくさんの黄金を持っていたということなのだろうか。
いずれにしても、セブはすでにヒト・モノ・情報が集まるビジネスのハブになっていたことをうかがわせる。実際、ピガフェッタはこの地で、めざす香料諸島について「いろいろと情報を得ることができた」と記録している。

中国人はいつのころからか、この交易都市セブに「宿務」（最近は「宿霧」とも書く）の字を当ててきた。フィリピンに来た中国人の大半が、大陸南部の福建出身者である。「宿」は寝泊まり、「務」は仕事を意味し、福建語の発音で読む。さすがは漢字の国、見事な音訳ではないか。ちなみに、マニラは「馬尼拉」、ミンダナオ島西端の都市でスールー諸島を西方に望む要衝の地サンボアンガは「三宝顔」と記す。

中国人は、交易都市であるセブに「宿務」の文字を当ててきた。セブ市の中心街にある看板（著者撮影）。

「ルソン」は、タガログ語をはじめフィリピン諸語で「木臼」を意味する単語だ。これがルソン島の語源と関係があるかどうかははっきりしないが、中国語では「呂宋」と書く。スペイン統治時代になると、「大呂宋」がスペインをさし、その対比で「小呂宋」がフィリピンを意味した。今日、フィリピンは「菲律宾」と書くのが一般的だ。日本では一八〇〇年代から、フィリピンに「比」の字を当て「比島」と表現してきた。ついでながら、中国語で「比」の文字を使う国名は「比利時」で、ベルギーをさす。

2……洗礼八〇〇人が八〇〇〇万人超に

東南アジアの国々で信奉されている宗教を見ると、タイやミャンマー、ベトナムなど大陸部は仏教が中心で、インドネシアやマレーシア、ブルネイなど島嶼部はイスラームが主体だ。この点で、フィリピンは違いが際立つ。南部を中心にイスラーム教徒が五％ほどいるが、あとは総人口の大半をキリスト教徒が占めている。フィリピンのキリスト教徒は八〇％以上がローマ・カトリックである。

最初にフィリピンで「ミサ」が執り行われたのは、いつ、どこだったのか？　フィリピンの教会関係者や歴史家のあいだでは以前から、この問題をめぐって論争が続いてきた。ミサはキリストの死と復活にちなむ「感謝の祭儀」であり、カトリック教徒にとって最も重要な典礼儀式の一つで、司教あるいは司祭が司式する。この論争は、マゼラン到達五〇〇周年が近づくにつれて過熱した。

最初のミサが行われた日

ピガフェッタの航海記などによると、「復活祭」に当たる一五二一年三月三一日の日曜日（ユリウス暦）に、レイテ島南端沖のリマサワ島で、マゼラン船団に同行していた司祭がミサをあげた。船団がセブ島に向かう途中のことだった。しかし、航海記は、これが来島後、初のミサだったかどうかについては触れていない。このため、リマサワ以前に、どこか他所でミサが執り行われた可能性が捨てきれないとの声が出ていた。三月の一七日も二四日も日曜日だったから、いわゆる日曜ミサが行われたとしても不思議はない。教会関係者らの一部は、ミンダナオ島北東部の交易港ブトゥアンが最初

ピガフェッタの航海記などによると、最初のミサはリマサワ島であげられ、セブ島で最初の洗礼が行われたことが記されている。上：最初の十字架がリマサワ島で立てられている絵（マニラの国立博物館で著者撮影）。下：セブ島での最初の洗礼を、国民的画家フェルナンド・アモルソロが描いた有名な絵。左：フィリピンのカトリック司教が発表した「キリスト教伝来500周年記念」の公式ロゴで、下図をもとにしている。

だったとの説を展開してきた。

「フィリピン国家歴史委員会（NHCP）」は、二〇二〇年七月、レネ・エスカランテ委員長名でリマサワ説を支持する長文の声明を発表した。ただし、この国家機関のNHCPは、あえて「最初の」という表現を避け、「イースターサンデー・ミサ（復活祭の主日ミサ）」として長年の論争に一応の決着をつけた。裏付ける史料として、ピガフェッタの航海記やアルボの航海日誌のデジタル版などをそろえ、改めて精査し検証したという。そのうえで、「今後も歴史の究明を」と強調し、ブトゥアン説などにも配慮を見せた。こうした気の配りようから、「最初のミサ」問題が今日においてもなおフィリピンのカトリック教徒にとって、いかにセンシティブなことかがうかがえる。

ピガフェッタの航海記に戻ろう。ミサを行うため、マゼランはリマサワ島の沖に投錨した船からまず先に司祭らを島に上がらせ、準備に当たらせた。この時、地元の「王」コランブが豚二頭を殺して贈ってよこしたという。すでにコランブと友好関係を築いており、マゼランは船団員約五〇人を連れ、「できるだけ立派な服装」をさせて上陸すると、王の兄弟が出迎えて抱擁し、ともに海岸近くに設営された式場に向かう。この島にはブトゥアンなどから二人の「王」も来ていた。どんな用事があったのか、ピガフェッタの航海記には記載がないが、王たちの振る舞いなどの描写から彼らの間に序列ができていたことをうかがわせる。

王兄弟はミサの際、「［マゼランらの］まねをして十字架に接吻し［……］ひざまずいて両手を合わせ礼拝した」という。マゼランが、島の一番高い山に十字架を立てて、毎朝、それを拝めば、嵐の時でも被害を免れるだろうと伝えると、王たちは「大いに感謝し、喜んでその通りにいたしましょう」と約束したとされる。

この十字架には、その後のフィリピンの歴史的展開に重要な意味があったことに注目しておきたい。ピガフェッタの記録によると、マゼランは、「〔十字架は〕自分の主君である皇帝から授けられた旗印であって、どこの陸地に降り立ってもこの印を残しておくよう命ぜられた」とし、「この土地にも立てておきたい」と地元の王に告げる。そして、「今後、わが国の船舶がこの地を訪れた場合に、この十字架を見て、われわれがすでにここに滞在していたことを知るであろうし、島民の生命も財産も傷つけることはないだろう」と説明した。

スペイン国王から託されたマゼランの主要ミッションの一つは、新たな土地を「発見」し、そこをスペインの領有地とすることにあった。その後のフィリピン領有へと発展する第一歩になったのだ。しかしながら、リマサワ島に立てた十字架は、当時の地元の王たちはまだ、ヨーロッパ人のそうした一方的な野心など知る由もなく、疑うこともなしに「十字架」を受け入れたと思われる。

トップダウンの集団改宗

マゼラン船団は、リマサワ島に一週間ほど滞在したのち、王らの案内でセブ島へと向かったのだ。セブでは、「血盟」の契りを結んだ最有力の首長ラジャ・フマボンや夫人をはじめ、「老幼男女を合わせて八〇〇人」がカトリックの洗礼を受けた、とピガフェッタは書いている。

この時、マゼランは、ラジャら有力者に対し「われわれを恐れているために、あるいは喜ばせるためにキリスト教徒になってはいけない」と説き、自分自身の自由な意思で洗礼を受けるよう告げた。そして、「これまでと同様に、〔地元の〕風習に従っていこうとしても、何らの危害を加えはしない」と伝えながらも、「〔キリスト教徒になれば〕他の者たちよりも大事にされ愛されるだろう」と言い添えた。すると、ピガフェッタの記述によると、「彼らはいっせいに声をそろえ、自分たちは恐れたり、ご機嫌をとったりするためではなく、自由意思でキリスト教徒になるのだ」と叫んだ。マゼランは喜び、武具一そろいなどの贈物を約束し、「〔受洗すれば〕悪魔が現れることがないように保証される」とも告げた。

まずは地元のトップを取り込み、恩恵をちらつかせ、「悪魔からの解放」を説き、プレゼント作戦も展開して洗礼を繰り返すことで、短期間での集団改宗を実現させたのだ。

フィリピンで住民のキリスト教化が本格的に展開されるのは、マゼラン到達から約五〇年後に始まるスペイン統治下だったが、やはり修道士たちはアメとムチを使い分けながらのトップダウン方式で集団改宗の事業に当たった。フィリピンはスペイン本国からは遠く離れた土地だ。スペインから派遣された修道士の数はきわめて限られていたが、この方式は功を奏した。スペインが統治下に置いた地域では、一七世紀の前半までに住民のあらかたが洗礼を受け、カトリック教徒になった。主に北部のルソン島や中部のビサヤ地方の低地部が布教の中心だった。

今日、フィリピンは、カトリック教徒の数が世界屈指の規模に膨らんでいる。スペイン統治が始まったころの諸島の人口は七〇万人弱だったとされるが、今や一億一〇〇〇万人に達し、そのざっと九〇％超がキリスト教徒で、大半がカトリックだ。約八〇〇人の集団洗礼で始まったカトリックの信者数は、八〇〇〇万人を優に超える。ブラジル、メキシコに次ぐ世界で三番目のカトリック大国だ。ちなみに四位はアメリカ、五位がイタリアと続く。バチカン国務省統計局の調べによると、世界のカトリック教徒は二〇二〇年時点で約一三億六〇〇〇万人を数え、前年から一六〇〇万人増えたが、その一割がフィリピン人で、世界トップの増加数だった。

もっとも、五〇〇年前のセブでは洗礼を受けながらも、じつは相変わらず「偶像」をこっそり家に隠し持ち、崇拝する人たちも少なくなかったようだ。偶像にすがり、神殿に獣肉などを供えるのは、病気を治してくれたり安寧を守ってくれたりするからだという。ピガフェッタによると、マゼランは「王や住民の面前」で、そうした偶像を焼き捨てさせた。海岸沿いなどにあった「たくさんの神殿」も壊させた。

偶像の焼却、神殿の破壊は「キリスト教に帰依した時の約束」だからだというが、この地域一帯はもともとアニミズム（精霊信仰）が浸透していた。豊かな海、深い森。そうした土壌に育まれた「マレー・アニミズム」の精神世界に、外から持ち込まれた宗教が接ぎ木され、重ねられていく。

カトリックの修道士たちはスペイン語の代わりに土地の言葉を学び、時に土着の伝統的信仰の体裁や用語を援用して布教に当たった。また、スペイン到達以前にブルネイなどを通じて伝播したイスラーム由来の言葉も借用した。たとえば、マニラを中心にしたタガログ地方などで「体を清める行為」をさす用語だった「binyag（ビニャグ）」を、「バプテスマ（洗礼）」の代用語として採り入れた。以前から人びとのあいだでは、カトリックの洗礼式に似た儀式があったとされる。フィリピンでは、今でも洗礼は全国的にビニャグと呼ばれているが、この言葉のルーツはアラビア語の「グスル」だという。スールー諸島やミンダナオ島だけでなく、ルソン島中部西岸のタガログ地方がブルネイを軸にしたイスラームのネットワークに連なっていたことを示す証左でもある。

マゼランクロスは万病に効く

フィリピンのキリスト教信仰を、「二段重ね」の宗教受容とか、「フォーク・カトリシズム（民俗的カトリック教）」と評して異端視する向きがある。だが、キリスト教やイスラーム教などが世界宗教化して各地で根付く過程で、その土地の基層文化と混じり合い、習俗化するのはごく自然の現象だろう。程度の差こそあれ、混じり気のない「純粋培養された文化」などは、理念の世界にしか存在し得ないのではないか。

　ラジャ・フマボンの夫人は、洗礼を受ける際、マゼラン船団つきの司祭が持ってきた「幼児キリストの木像」を欲しいと申し出た。「偶像の代わりに拝みたいから」という。この像は、四四年後の一五六五年、スペインが派遣した行政官レガスピ率いる遠征隊がセブ島に植民地支配の足場を築こうとしていた時、地元有力者の家に保管されていたとされる。「上等な服」を着せられていたというのだ。幼年期のキリスト「サントニーニョ（聖なる幼きイエス）の像」と呼ばれ、それは今もセブ市内の教会の聖堂に安置され、崇められている。豊作や大漁など霊験あらたかで、さまざまな奇跡をもたらすとして、フィリピン各地でコピーがつくられ、信仰を集めている。

　また、フマボンらの受洗やミサの時に広場に立てられた黒い木製の十字架は、後年、「マゼランクロス」と名付けられ、今はセブ市庁舎近くの八角堂（一八世紀に建立）に納められている。この十字架は「神通力があり万病に効く」「ギャンブルに勝てる」などとして地元民が少しずつ削り取るから細るばかりで、何度も補強されてきた。大切な観光資源でもあるため、現在ではセブ市当局のはからいで表面を合成樹脂で補強してある。

　一方に、セブのサントニーニョ像もマゼランクロスも、じつはオリジナルではなく、昔話に合わせて後年に模造されたものとする説もあるのだが――。

「バーマンスに入ると、クリスマスの季節が始まる」。今日のフィリピンは「バーマンス」、つまりセ

フマボン夫人は洗礼を受ける際に、司祭から「サントニーニョ像」を受け取ったとされる。左：その像を拝むフマボン夫人。背景には、伝統的な聖霊たちが描かれている。（セブの博物館で著者撮影）右：実物とされる像が、サントニーニョ聖堂の礼拝堂に安置されている。

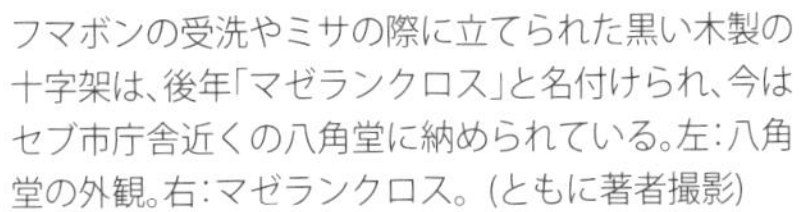

フマボンの受洗やミサの際に立てられた黒い木製の十字架は、後年「マゼランクロス」と名付けられ、今はセブ市庁舎近くの八角堂に納められている。左：八角堂の外観。右：マゼランクロス。（ともに著者撮影）

プテンバー（九月）からディセンバー（一二月）までの四か月が、クリスマスシーズンだ。世界屈指の長さで、商業戦略も抜け目なく展開される中、人びとは一二月二五日に向けてウキウキした気分を日々高めていく。

3……点在する自給自足型の自然村

マゼランの到達時、フィリピンは島々に小規模な自然村が点在する社会だった。姻族・親族集団を基盤にした集落だ。セブ島にはそうした集落がいくつも形成されており、それぞれに統率者がいた。航海記を残したピガフェッタは、六つの「町」と九人の「領主」の名をあげている。セブにおけるそうした統率者たちの最有力者が、ラジャ・フマボンだった。

どんな社会だったのか。

人びとは昔、海からやって来た

ピガフェッタは、「彼らの大きな船」という説明を添えて、「バランガイ（ballanghai）」という言葉を書き残している。これは、今日のフィリピン人のルーツに関わる重要な言葉である。先史時代、人びとはバランガイで、マレー海域などからやってきたとされる。

地図を見てほしい（95ページの図版参照）。フィリピン西方の南シナ海側には、スールー諸島とパラワン島が二本の腕を差し出すようにボルネオ島（インドネシアの呼称はカリマンタン島）方向に伸び、いくつもの小島が連なる。北に目を向ければ、ルソン島の北端からはバシー海峡の向こうに台湾が位置し、その先に中国大陸が張り出している。南はミンダナオ島中央部の南端から南へ、これまた無数の島嶼が散らばって動物の尻尾のような形をなし、現在のインドネシア内にあるマルク諸島の海域で二手に分かれ、西はスラウェシ（英語ではセレベス）へ、東はニューギニアへと続く。フィリピン諸島への人びとの移住の波は、二五〇〇年ほど前から、マゼラン到達の一〇〇〇年ほど前まで断続したとされる。フィリピン人の祖先は、昔「海からやって来た」のだ。

一九七〇年代に入ってからのことだが、ミンダナオ島北東部の港町ブトゥアンの地中からバランガイの破片が見つかり、大掛かりな発掘作業が展開された。これまでに計九隻分が掘り出されている。船幅は三メールから四メートルで、長さ約一五メートル。中でも最大の船は二五メールの長さだったとみられている。

こうした船で移り住んだ集団が形成した自然村を、後年、研究者が「バランガイ（barangay）」と呼び、伝統的な「集落」をさす歴史・社会用語として定着した。

フィリピンの地勢についても、少し触れておきたい。

今日のフィリピンの領域は、国土面積が約三〇万平方キロメートルだ。イタリアとほぼ同じ広さで、日本だと北海道を除いた規模。その形状は、南北一八五〇キロメートル、東西一一三キロメートルの縦長の三角形だ。ルソン島の北端を軸にして扇を下方に広げた形の領域に、島々が広がっている。天上から落ちてきた岩でガラス板が砕け散ったかのような案配である。

世界屈指の島嶼国家だ。島の数は大小で七六四一。フィリピン当局は従来、「七一〇七島」としてきたが、二〇一六年二月、「干渉合成開口レーダー（InSAR）などのハイテク機材を使って調査し、新たに五三四の島が見つかった」と発表した。一気に増えた背景の一つに、南シナ海の小さな島々の領有権をめぐる中国との紛争がある。政府は、周辺海域を詳しく調査し、島の数を改めて「確定」する作業を進めてきた。

人が住む島は全体の二五％程度で、ざっと二〇〇〇島ほどだ。最大はルソン島、次がミンダナオ島。この二つの島に挟まれた中央部のビサヤ地方には主な島として、セブ島、サマール島、レイテ島、マスバテ島、ボホール島、ネグロス島、パナイ島の七島がある。これにパラワン島とミンドロ島を加えた主要計一一の島だけで全国土の九三％を占め、そこに全人口の九六％が暮らす。つまり、大半の島々は小さくて無人島が多く、面積が三平方キロメートルを超す島の数は五〇〇に満たない。

島の数が多いから、海岸線も長い。総延長は約三万六三〇〇キロメートル。世界第五位だ。アジアでは最長のインドネシアに次ぐ距離を誇る。

長く入り組んだ海岸線は、すなわち人びとと海との近さを意味する。フィリピンの陸地のどの地点からも二〇〇キロメートル以内に海がある。今日の集落も、ほとんどが海岸から実測一二〇キロメートル圏内に位置する。

世界には人口が一億人を超す国は、二〇二一年末時点で一四か国あるが、このうち島国はインドネシア（二億七〇〇〇万人）、日本（一億二六〇〇万人）、フィリピン（一億一〇〇〇万人）の三か国だけだ。

フィリピンは、今や世界一三位の人口大国になっているが、スペイン統治が本格化する一七世紀初頭、植民地統治当局が推定したとされる人口規模は約七〇万人だった。これは主にキリスト教化が進んだルソン島やビサヤ地方の低地部の住民数で、スペイン支配を拒んだ山岳民や南部のミンダナオ島を中心にしたイスラーム教徒は、一部しか統計数字に入っていないとみられる。ようするに、かつては人口がきわめて希薄な諸島だった。

フィリピン人のルーツは、先史時代から「バランガイ」という船に乗って、海よりやって来た。発掘されたバランガイの遺物から作成された想像図。

フィリピンを取り巻く東アジアの地図。

濃密な人間関係が集団の絆

歴史を振り返ると、バランガイは海岸付近や河口域、川沿い、湖沼周辺などを中心に形成されていた。三〇戸から一〇〇戸ほどの自然村だったというのが今日の一般的な理解で、それぞれが一五〇人から五〇〇人前後の集落だったと推定される。住民は親族・姻族を核にした濃密な人間関係でつながる「拡大家族」社会だったと考えられている。基本的には自給自足で、場所によって漁労や狩猟採集、焼き畑農耕などで生計を立ててきたようだ。

バランガイの規模について考察する時、英オックスフォード大学の人類学者で進化生物学者のロビン・ダンバー教授（一九四七年〜）が唱える説を補助線にすると興味深い。ダンバー教授は、もともとチンパンジーなど霊長類の行動を研究してきた学者だが、その知見などをもとに、「人が安定した関係を維持できる限界は一五〇人」とする説を打ち出し注目されてきた。「ダンバーズナンバー」と呼ばれる一五〇人を超えると、徐々に顔と名前がおぼつかなくなり、関係は形骸化していくというのだ。

インターネットのSNSで、次々に「友だち登録」すると「友だち」の数がどんどん膨れ上がり、誰が誰だか判然としなくなることを考え合わせると納得できる。集団の成員が一五〇人を超え、さらに増えるにつれ、集団をまとめ統率していくには別次元のリーダーシップや政治力が求められる。

バランガイを統率した首長は、「ダトゥ」と総称される。この称号は地域や時代によって異なるが、ピガフェッタが記録した「ラジャ」のほかに、「スリ」「ラカン」「スルタン」などの称号で呼ばれていた。ダトゥやラカンはマレー語由来だ。ラジャとスリは古代インドのサンスクリット語からで、スルタンはアラブ・イスラーム圏から入ったタイトルである。

当時の首長像については、地元社会に書き残された記録がなく、口承の民話などに頼らざるを得ない。ピガフェッタは、ラジャ・フマボンも含めて首長を「王」と記述している。これは当時の西洋人のボキャブラリーでとらえた表現だろうが、フィリピン諸島の場合、一四世紀後半以降にイスラーム化していくスールー諸島やミンダナオ島の一部を除けば、「君主制」とは無縁だった。今日、研究者のあいだで定着している理解は、ラジャやダトゥは絶対的な専制支配者ではなく、集団のまとめ役で、世話役的な存在だったとする見方だ。争いごとを裁き、調停役を果たすことも期待されていた。

フィリピンでは今日、国を率いる大統領に「pangulo（パンウロ）」の称号をつけている。「pang（パン）」は接辞だが、「ulo（ウロ）」は頭のことで、パンウロはいわば「お頭」とか「頭領」といった意味だ。その深層に、かつてのダトゥやラジャのイメージがたたみ込まれているのかもしれない。

膨らんだり、縮んだり、移ったり

西欧中心主義の史観に立てば、五〇〇年前のフィリピン諸島は中央集権型の「国家」が成立する前の段階にあった。人口が希薄な土地に形成された自然村のバランガイは、領域や構成員が固定した社会というより、それぞれ流動的で伸縮自在の移動分散型の社会だったとする見方が有力だ。生計上の都合や婚姻、人間関係、紛争、自然環境との折り合いといったさまざまな事情で、膨らんだり縮んだり、他所に移ったりしていたとみられる。そうした中、セブのような要衝の地ではいくつかの近隣バランガイが連合し、大規模化する過程にあったようだ。ただし、それは当時の西欧の発想にあった「領土の獲得・拡張」というより、序列を内包しながらも同盟のネットワークを広げる方向に重きが置かれていたとみられる。

当時の東南アジア地域の「くに」のありさまを、仏教世界の宇宙観を表す「マンダラ」の図像をベースに分析を試みる研究もある。各地に小さな主権が生まれ、それをまとめる中規模な主権ができ、さらに大きな規模の主権へと吸収されていく。その裾野は重層的で、多層的で、流動的だ。マンダラはあたかも、池に小石をパラパラと投げ込むと、いくつもの波紋が拡散し、いくつかの輪が重なり合い、あちこちで一体化していく現象に似ている。バランガイ社会は、マンダラの縮図だったのかもしれない。

そこへ、西欧植民地勢力が侵攻し、中央集権型統治の形態を持ち込んだのだ。スペイン統治が進む中、バランガイはスペイン語で居住区を意味する「バリオ（barrio）」と呼ばれるようになる。以降、バリオは、フィリピンが一九四六年に独立したのちも行政機構の末端を担う単位として存続してきた。

バリオという呼び名を改め、「バランガイ」の名称を復活させたのは、フェルディナンド・マルコス大統領（在職一九六五～八六年）だった。一九七二年九月に戒厳令体制を敷き、「新社会建設」を掲げて地方行政の再編を狙い、戒厳令発令二周年を期して歴史を掘り起こした。「民族主義」「愛国」を強調する目的もあったようだ。マルコス大統領は、アメリカ統治時代以来、英語名で呼ばれてきた政府機関や議会の呼称も、次々とフィリピン語に直した。それは基本的に、今日に引き継がれている。

バランガイ、そしてその後のバリオも従来は「村」の位置づけで、町を構成する最小行政単位だったが、マルコス政権下で市内にもバランガイが創設された。いわば「官製バランガイ」だが、これですべてのフィリピン国民はいずれかのバランガイに属することになった。

バランガイの総数は現在、都市部も含め全国四万二〇〇〇あまりを数える。各バランガイの人口規模は町より市レベルの方が大きくなる傾向があるが、単純に平均すると二六〇〇人超だ。自治機能を担うバランガイ長（キャプテン）とバランガイ評議員は普通選挙で選ばれ、任期は各三年。その選挙は、国政および地方自治体の選挙とは別に実施される。草の根を知るバランガイ長は、所属する町や市はもとより、州や国レベルの選挙などに際した集票マシンの末端を担ってきた。

4……衣・食・住、そしてトイレ

「バハイ・クボ（Bahay Kubo）」という歌がある。フィリピン人なら誰でも知っている童謡だ。昔ながらの「四角い家」という意味で、たとえ構えは小さくても、家には、あんな野菜もこんな野菜もいっぱいあるという歌詞が続く。軽快な曲に乗って、子どもたちは野菜の種類を憶え、大人も歌えば童心に返って気分がはずむ。もともとはマニラ周辺のタガログ地方の歌だったというが、バハイ・クボは高床式の家を想起させる。フィリピン諸島の各地で受け継がれてきた伝統的な構造の家屋だ。kuboは、スペイン語のcubo（立方体）に由来する。

バハイ・クボのまわりには、ヤシの木が繁り、バナナやパパイアがたわわに実る。庭先に、原色鮮やかな花をつけたブーゲンビリアが蔦を伸ばし、白く可憐なサンパギィータ（ジャスミンの一種）がほんのりと甘い香りを運んでくる。子どもたちがキャッキャと走りまわり、鶏は目を剥いて逃げまわる——。フィリピン諸島の、主に低地部に暮らしてきた人たちの心の奥底に息づく「原風景」である。

エコでサステイナブルな高床式

五〇〇年前、マゼランも、この光景をリマサワ島やセブ島で見たに違いない。航海記を残したピガフェッタは高床式の家について、「家屋は板と竹でつくられ、太い杭の上に組み立て〔……〕家に上がるには階段が必要〔……〕、家屋の下では豚や山羊や鶏を飼っている」と記述している。屋根はニッパヤシの葉などで葺く。

時代は、それから七〇年あまり下るが、スペイン統治初期の一六世紀末の様子を記録した行政官モルガも『フィリピン諸島誌』で、住民はどこでも同じ形式の高床式の家に住んでいると記述した。「部屋は狭く、屋根が低い」が、各戸が独立し、隣の家とは適度に離れているのが一般的だ。両親と子どもが一緒に住む。家屋の下では家畜を飼うほか、脱穀したり、粉を挽いたりする。高床造りにするのは地上の湿気と熱を避けるためでもあると指摘し、屋根に使うニッパヤシの葉は板や瓦よりも「ずっとよく水や太陽の熱を防ぐ」とモルガは観察した。

フィリピンは熱帯モンスーン気候帯に属す。主に海からの影響を受け、季節は地域によって多少のズレがあるもののおおむね二つのシーズンがあり、高温多湿の雨季（六月から一一月ごろまで）とカラッとした乾季（一二月から五月ごろまで）に分かれる。高床式のバハイ・クボは風通しがよく、気候風土に適したエコでサステイナブルな住居なのだ。屋根のニッパヤシの葉は、新しいうちは空気が乾いて気温が上がると反り返り、湿ると収縮する。古くなったころ、台風が屋根を吹き飛ばす。そうしたら、葺き替えればいい。ニッパヤシをはじめ、素材は身近なところに豊富にあるのだから。

フィリピンは台風の通り道だ。年に平均二〇くらいが通過する。台風シーズンは雨季と重なり、七〇％が七月から一〇月に集中する。北緯一〇度から一五度圏の西太平洋沖が、主な発生地。マゼランが訪れたビサヤ地方は圏内にあり、台風の常襲地帯だが、ピガフェッタの航海記には暴風雨に襲われたといった記述がない。来島が三月から四月だったので、シーズンから外れていたのだ。

首長のラジャ・フマボンら、有力者の住居はどうなっていたのか？

ピガフェッタによると、フマボンは多数の家臣を従え、「王宮」を持ち、マゼランが王宮に招かれた時は「王妃」も「四〇人の貴婦人たち」に囲まれていた。近くのボホール島でも、王妃には「男女の奴隷」が大勢つかえていたと書いている。しかし、王宮の構えなどについてはあまり触れていない。フマボンより格下とされるリマサワ島の王ラジャ・コランブの住居は、一部が「金でできている」との描写を残したが、それ以上の記述はない。

モルガの『フィリピン諸島誌』は、もう少し具体的だ。「〔首長たちの家は〕部屋数が多くて広く、材木と板とで立派につくられており、強くて大きく、他の種類の家よりずっと光沢があり価値のある調度品を必要なだけすべてそなえている」。屋根については、有力者の家も他の家々と同じようにニッパヤシの葉が使われている、との記述が残された。

バランガイ社会はすでにある程度の階層分化が進んでおり、「首長層」「一般住民」「隷属民」がいたとされる。それぞれの暮らしぶりはどうだったのか？　研究者たちは、階層化や格差はコミュニティの富の余剰の有無や地域の経済環境などによって差異があったと推測している。

葬送はどうだったか。

ピガフェッタは「高貴な人が死んだときは」として、儀式についてかなり詳細な観察を残している。要約すると――。

家の中の中央に死者を納めた柩（ひつぎ）が置かれる。集まってきた地元有力者の女性たちが、みな白い綿布をまとって柩のまわりに座り、それぞれの侍女がヤシの葉のうちわで風を送る。死者の正妻が遺骸のそばで横になり、その口と両手と足に自分の口と両手と足をくっつけ、ほかの女性が遺骸の髪の毛を小刀で少しずつ切り取る。その間中、正妻は涙を流して嘆き悲しむが、しばらくすると歌い始める。部屋には、いくつかの焼き物の器に火を入れて安息香などさまざまな香が焚かれ、家中がいい匂いで満たされる。こうした儀式をしながら、遺骸を五、六日間、家の中に安置する。そのあと、木の釘で柩に蓋をし、屋根をかけ柵で囲った場所に埋葬する。

高温多湿の中、遺骸を五日も六日間も安置が可能だったのはなぜか。ピガフェッタは、「竜脳を塗っているのだと思う」と推測している。竜脳は熱帯アジアに分布するフタバガキ科の常緑高木「リュウノウジュ」の樹脂を加工したもので、ボルネオショウノウとも呼ばれ、樟脳（しょうのう）に似た芳香とともに防虫・防腐効果があるとされる。

一般の人たちの葬送に関する記述はない。

フィリピンでは、カトリック化が進む以前から近年まで、土葬が一般的だった。しかし、最近は人口増で墓地が手狭になったことなどを背景に、特に都市部で火葬が広まりつつある。

会食を重ねて関係を深める

人びとの風貌や服装、装飾品、食生活などを見てみよう。

住民たちの肌の色は「オリーブ色」と、ピガフェッタは描写している。オリーブの産地イタリア出身らしい表現だ。昨今は、欧米人が南方のアジア人一般の肌の色をさす言葉として定着している。偏見を含まない表現だという。

髪は黒々としていて長く、背中まで垂らしている。頭に布をターバンのように巻きつけ、腰から膝までを布で覆う。「主だった人たち」は綿布を使い、絹の刺繍や縫い取りがされている。女性は木の繊維でつくった布で腰から下を覆っている。以上はピガフェッタの観察だが、モルガはさらに「男も女も、特に有力者たちは体も衣服も非常に清潔で身ぎれいにしており、立派な風采で気品がある」と記述している。髪は黒いのが自慢で、よく手入れをする。また、老若を問わず、川などでよく全身を洗う。

有力者の間では、黄金や宝石の装飾品が愛用されている、とする描写も随所に出てくる。ラジャ・フマボンが「非常に高価な首飾り」を下げ、「宝石をちりばめた大きな金の耳飾り」をつけていた、とするピガフェッタの記述は先に紹介した。リマサワ島で会った有力者は短刀を持っており、その柄は長く全体が黄金でできていて、木製の鞘には彫刻が施されていた。刃には黄金がはめ込まれ、「一本一本に金の粒が三個ずつ光っていた」とも書き、彼の体から「蘇合香と安息香の香り」がしたと観察している。またモルガは、有力者の女性は「金細工の大きな耳飾り」をつけ、手に「金や宝石の指輪」をはめている、と記述した。

ビサヤ地方の人たちが、体中に入れ墨を施していたことも、ピガフェッタが書きとめている。この地の人びとを「ピンタド（色彩に富む）」と呼んだ。

マゼラン一行は、各所で酒食のもてなしを受けた。たらふく食べ、大いに飲んだ。諸島の住民は折につけ宴席を設け、贈物を交換し、会食を重ねながら関係を確かめ合い深めていく。この慣行は、基本的に今日でも変わっていない。

常食は、地域や階層によって違いがあったようだ。主食はコメだったり、トウモロコシなどの穀類だったり。マゼランたちにはコメが振る舞われた。副食は、生姜を添えた切り身の焼き魚、煮込み汁、野菜類など。シーフードが豊かで、果物も豊富だった。食べ物は焼き物の皿に盛って出された。豚肉を食べる場面が随所に描かれている。当時、すでに南部のスールー諸島やミンダナオ島に伝播していたイスラーム教は、セブ島や周辺の人びとのあいだには入り込んでいなかったことを示唆している。

マゼランたちが飲んだり食べたりした様子をピガフェッタが記録したのは、主に有力者に招かれた席でのことだ。ふつうの住民のふだんの食卓ではない。宴席ではいつも、酒（ヤシ酒のトゥバなど）が出された。肉を一口食べるごとに、一杯の酒を飲む。「一回の食事が五時間も六時間もかかる」ことがあったとピガフェッタは書きとめている。酒は大きな壺に入れてあり、壺に管をさして飲むこともあった。飲んだり食べたりする時、フマボンらはヤシの葉を編んだゴザなどに座ったという。胡座（あぐら）を組んだ。モルガも同じような場面を見ており、人びとは「集会、婚礼、祭り」といえば昼夜を継いで酒を飲み、「車座になって、ある者は歌いある者は飲み、ほとんどの場合酔いつぶれてしまう」と観察し、酔うのは「不名誉でも恥辱でもない」と特筆している。土地の人びとがビンロウの実を噛む習慣があることについては、第1章・1節で触れた。

有力者には複数の妻がいたが、ふつうの住民は通常、一夫一婦制だった。モルガによると、女性は夫や両親につかえ、食事の用意をし、針仕事をこなし、布を織り、綿を紡ぐ。男性が野良仕事や漁労などに出ているあいだは、家畜などの世話をし、家庭を守る。

女性は働き者だが、未婚・既婚を問わず、「あまり貞淑ではない」とモルガは書いている。「夫、両親、兄弟たちも、これに関してほとんど嫉妬もせず気にもかけない」としたうえで、不貞をはたらく妻を夫が見つけた時も、「難なく懐柔され解決してしまう」というのだ。なぜそうなのかについては、モルガは追究していない。

床下空間の有効活用

食べれば、出す。当たりまえのことだが、トイレはどうなっていたのか。

ピガフェッタの航海記には何も書かれていない。トランシルヴァーノの遠征調書にも出てこない。モルガの『フィリピン諸島誌』に、それらしい記述が一行だけある。「高いところに覆いのない張り

ビサヤ地方の人たちは、体中に入れ墨を施していたと、ピガフェッタは書きとめ、彼らを「ピンタド（色彩に富む）」と呼んでいる。16世紀のビサヤ地方の人々を描いたイラスト。チャールズ・ラルフ・ボクサー教授の古写本（Boxer Codex）による。（米インディアナ大学リリー図書館蔵）

出しがあり、用を足せる」。文脈から察するに、場所は高床式の家の梯子をのぼった「高いところ」と推測できるが、それ以上の説明はない。

筆者はマニラで学生生活を送っていた一九七〇年代、長期の休みには郷里に帰るクラスメートについていくなどしてフィリピン各地をまわった。都市部では、個人の家にいわゆる洋式の水洗トイレが普及していたし、地方の田舎でも裕福な家庭には洋式トイレが屋内にあった。二〇世紀初頭からアメリカの植民地支配下にあったのだから不思議はない。しかし、ふつうの家屋は高床式のバハイ・クボがまだ一般的で、トイレの様子も地域によってさまざまだった。

たとえば、高床式の階段をのぼった部屋の裏手に、竹を編んだ囲いや覆いをつけた張り出しがあり、床に穴が開けられていて、そこから排便する。床下で飼っている豚や鶏が、後始末をしてくれる仕組みだ。モルガが記述した「覆いのない張り出し」の進化形が、この形式かもしれない。究極の食物連鎖による床下空間の有効活用である。

母屋の近くに小屋を建て、比較的深い穴を掘り、厚めの板や太い棒を二本渡し、その上から落とすトイレもあった。小屋も床の位置を少し高めにし、下に囲いをつくって豚などを飼い、床に開けた穴から「エサ」を提供する様式もあった。私はこのタイプを各所で使わせてもらったが、豚が元気に動きまわるので小屋ごと揺れ、いつもヒヤヒヤしたのを憶えている。

ほかは、おおむねそのバリエーションだ。池をつくり、魚を飼っているところもあった。いわば養魚場の兼用である。海辺や小川のそばの家は、やはり張り出しを設けていた。あとは、水の流れにまかせればいい。人口が希薄な時代、人びとは海辺や河口などにバランガイを形成し、家と家の間隔を適度にとり、床下などで家畜を飼う。世界各地の排便文化を調査してきた寄生虫学者の鈴木了司氏は、自然のサイクルにかなっていて合理的な暮らしぶりだといっている。かつては、アジアや太平洋諸島、アフリカなどの各地で広くふつうに見られた。

人間世界は四つの要素で色分けできる

ヒトは、もともと自然界のいたるところで排便してきた。大空のもと、野山で、川原で、海辺で……。排泄物を太陽が乾かし、動物が食べ、雨が流す。ところが人口が増え出し、集住化が進み、糞尿の量が大自然のサイクル容量を超えると手に負えなくなる。そこで、気候風土など生活圏のさまざまな条件に合わせて工夫を凝らし、改良を加え、今日に至る。

人間の歴史とともに歩んできた排便スタイルは、基本的に「しゃがんでふんばる」か「腰かけて出す」かの、どちらかしかない。事後処理は、「拭く」か「洗う」かが基本形だ。世界の人口は八〇億人に達したが、なんだかんだいっても、ヒトの世はこの四つの要素の組み合わせであらかた色分けできると私は思っている。組み合わせは風土や習慣などが絡むから多様だし、排便文化は頑固なのだ。そこが、いかにも人間臭いところで、もちろん優劣はつけがたい。

日本トイレ協会の幹部だった平田純一氏は「文化便類学」的な関心から、排便スタイルの境界線を「便境」と名付け、世界地図をたどってみた。おおまかには、アジアから中東、アフリカにかけての一帯はしゃがみ型で、西欧と西欧からの移民が中心の南北アメリカ大陸やオーストラリアなどは腰かけ型だ。「飛び地もあるため、便境は必ずしもスッキリしない」が、しゃがみ型の最前線はオスマン帝国（一二九九～一九二二年）の最大版図とほぼ一致するという。そういえば、しゃがみ型は英語圏だと「ターキッシュ・スクワット（トルコ式しゃがみ込み）」が通じやすい。その便境は、バルカン半島からエーゲ海を南下し、地中海を西へと延びる。奇しくも、イスラーム教とキリスト教の文化圏がせめぎ合う地帯と重なる。アメリカの国際政治学者サミュエル・ハンチントン教授（一九二七～二〇〇八年）流にいえば、さしずめ「便境の衝突」だろうか。

ヒトはもともとしゃがみ型だったが、無防備さを避けるために一部が腰かけ型にシフトしたとの説がある。残念ながら定かではない。このあたり、さらに「便学」を深めたい。

事後処理で洗うのは水が代表格だが、拭く素材はさまざまだ。トイレ百般を研究した慶応義塾大学の西岡秀雄教授（一九一三～二〇一一年）によると、紙の使用は地球人口の三〇％程度で、その他は、葉っぱ、草、樹皮、木片、布切れ、海藻、石、砂などを利用しているという。つまり、土地柄によって一番都合がいい素材を使ってきたのだ。

余談だが、日本人は「しゃがんで拭く」から「腰かけて洗う」へと、ほぼ一世代で変化させた。西岡教授は、人口一億人規模の集団が、頑固なはずの排便文化をこれほど短期間にシフトさせたのは、人類史上きわめて希有なケースだと指摘していた。

フィリピン諸島の排便スタイルは、伝統的には「しゃがんで拭く」や「しゃがんで洗う」だった。素材は、五〇〇年前も主に、葉っぱや小石、布切れなどで、水があれば洗ったりもしてきたと推測される。水は甕（かめ）などに入れ、ココナツの殻や竹を利用した「タボ（手桶）」を使ったと思われる。

高床式のバハイ・クボは、最近は地方でもあまり見かけなくなった。私の観察だと、一九七〇年代の半ばを境に姿を変えてきた。地面から直にコンクリートブロックを積み上げ、屋根はニッパヤシの葉からトタン葺きになり、スレートに変わり、外観もオシャレになっていく。そうした家屋ではトイレも水洗式が一般化した。海外就労の増加と軌を一にした変化のように思える。外国で働き、少しでも経済的に余裕ができたら「家を改築し、電気製品を買い、子どもの教育費に使いたい」という願いがトレンドを後押ししてきたのではないか。

シンガポールに本部を置く国際NPO「世界トイレ機関（WTO）」によると、二〇二〇年時点でも、途上国を中心に世界の約三人に一人が自宅にトイレがない暮らしをしている。一方、フィリピンの世論調査会社「ソーシャル・ウェザー・ステーション（SWS）」は、同年一一月一九日の「世界トイレの日」に合わせた調査結果として、フィリピン全土のトイレ普及率がほぼ九〇％に達したと発表した。

第4章

歴史に、足跡を刻む

マゼランの死とエルカーノによる世界一周

［扉図版］

マゼランの死を描いた銅版画（1860年）。

1521年4月27日、マゼランは、わずか60人を率いてマクタン島に近づき、自ら膝上まで水中につかって、珊瑚礁の浅瀬に歩を進めた。島の首長ラプラプの配下は、マゼランに狙い集中攻撃を加えた。岸辺は血に染まった。マゼランは右肘を竹槍で刺され、剣を抜けず、無防備な左脚をカンピランで切りつけられ、そのままうつ伏せに倒れ、息絶えた。41歳（推定）だった。

1……「アウェー」対「ホーム」の戦い

マゼラン船団の航海は、「世界初の地球一周」として知られるが、マゼラン自身はめざす香料諸島への到達を前にして、フィリピン中部の小島で殺されてしまう。

何が起きたのか？

イベリア半島を五隻で出航した船団が、今日のフィリピン海域にたどり着いた時は三隻で、一か月近く経ってからのこと。マゼランは、セブ島の首長ラジャ・フマボンに和戦両様の構えで近づき、スペイン国王に「臣従」するなら「地域一帯の最大の王」にしてやる、と迫る。

援軍の申し出を断って出撃

フマボンは、シャム（現在のタイ）から交易に来ていた商人らのアドバイスもあって、西洋からの来訪者に抵抗するのは得策ではない、と判断する。マゼランと血盟の契りを結んで「義兄弟」と呼び合う関係をつくり、キリスト教の洗礼も受けた。

その一方で、フマボンはマゼランに打ち明ける。周辺の首長の中に、自分のいうことに従わず、スペイン国王への「臣従」を拒み、キリスト教徒にもならない者がいると告げた。この時、フマボンは巧妙にも、ライバル打倒に〝白い異邦人〟を利用できると見込み、政治的な計略を仕掛けたのかもしれない。

ライバルは、セブの目と鼻の先にあるマクタン島の首長ラプラプだった。面積が六五平方キロメートルほどのこの小島には、ズラと呼ばれるもう一人の首長もいて、彼も島内でラプラプと対立していた。ピガフェッタの航海記によると、ズラは息子の一人をマゼランのもとに遣わし、贈物として山羊二頭を差し出すとともに、ラプラプの不服従ぶりを告げ口させた。そのうえで、ライバル征伐を持ちかけ、兵を派遣してくれれば自分たちも加勢すると申し出たのだった。

この時、マゼランは、西洋パワーを示威する絶好の機会と受けとめたに違いない。鉄製の甲冑、最新の鉄砲……。西洋兵器の威力を、フマボンをはじめ広く周辺地域の有力者や住民に見せつけることで、スペインに反抗すればどうなるかを思い知らせておくチャンスとみたのでないか。

それには、できるだけ少ない兵力で、短時間に、圧勝してみせるのが効果的だ。だから、フマボンやズラの加勢を断った。マゼランは、手勢わずか六〇人を率いてマクタン島に向かう。

「諸君、われらの敵である住民たちの数に、恐れをなしてはならない。神がわれらを助けたもうであろうから。諸君、思い出すがよい、あのエルナン・コルテス隊長がユカタン地方で二〇〇人のエスパーニャ人でもって、しばしば、二〇万、三〇万の住民を打ち破ったということをわれわれが耳にしたのは、つい最近のことではないか」

出陣を前にしたマゼランの演説である。スペインのコンキスタドール（征服者）、コルテスの部隊がメキシコ高原に栄えたアステカ帝国を少人数で攻略し、勝利した事例をあげて熱弁をふるい、部下たちを鼓舞したのだ。

しかし、マゼランは、いくつか決定的な計算違いをおかしてしまう。

四月二七日の払暁だった。武装した部下六〇人を乗せたマゼランの船は、マクタン島に近づく。ところが、そこは遠浅で、岸辺に接近できなかったため沖合に投錨する。最初の誤算だった。それでも「アッパレな戦いぶりを見ておけ」とばかりに、船に一一人を残し、マゼラン自ら膝上まで水中につかって、珊瑚礁の浅瀬に歩を進めた。戦場にはピガフェッタも同行しており、戦いの模様を詳しく書き残している。

対するラプラプ勢は、ピガフェッタによれば、なんと一五〇〇人あまり。トランシルヴァーノの「遠征調書」は「三〇〇〇人以上」としている。当時の一般的なバランガイの規模からすると、かなりの人数だ。ここでも周辺のバランガイの連合化が進んでいたのか、首長ラプラプの動員力が優れていたのか。手にした武器は、せいぜい弓に槍、ボロ（広刃刀）やカンピラン（長広刃刀）くらいではあったが、地勢を知りつくし、干潮時を見はからって、マゼラン部隊をおびき寄せたのだ。

「アウェー」対「ホーム」の戦いだった。ラプラプ側は、総指揮官に狙いを定めて集中攻撃を加えた。岸辺は血に染まった。マゼランは右肘を竹槍で刺され、剣を抜けず、無防備な左脚をカンピランで切りつけられる。そのまま水中にうつ伏せに倒れ、息絶えた。四一歳（推定）だった。一時間あまりで決着がついた。

同日午後、フマボンを通じて遺体の引き取り交渉が行われた。だが、ラプラプは頑として要求を拒んだ。その後、マゼランの亡骸がどうなったかはわかっていない。

「インディオ」と呼ばれた諸島民

ようするに、マゼランはラプラプ勢を甘く見たのである。マスケット銃を二、三発ぶっ放せば、地元民はクモの巣を散らすがごとく逃げまどうはずだった。相手側が降伏すれば、それ以上追い詰める必要もなかった。ところが、多勢に無勢。しかも当時のマスケット銃は、銃身の先端から弾や火薬を装填する前装式で、発砲に手間取り、接近戦ではほとんど役に立たなかったのではないか。戦闘の終盤、マゼランの部下が島に上がり、「二〇から三〇戸の家」を焼き払ったことも、住民の怒りに火をつけたに違いない。

戦闘でマゼランとともに隊員八人が討ち死にし、多数が負傷した。ピガフェッタ自身も「毒矢」で額に傷を負う。ラプラプ側の被害は「わずか一五人だった」と航海記に記録した。

ピガフェッタはこの場面で、現地の住民をさして初めて「インディオ」と記述している。この単語はのちのちまで、スペイン統治下に置かれてキリスト教化したフィリピン諸島民をさす呼称として使われる。

由来を振り返っておこう。コロンブスが一五世紀末、カリブ海に到達した時、そこを「インディアス（インド）」と思い込み、住民を「インディオ（インド人）」と呼ぶ。その後、ヨーロッパ人たちはアジアのインドを「東インド」と称して区別し、カリブ海やメキシコ湾一帯の島々を「西インド諸島」と名付けた。スペインが統治下に置いたフィリピンについては、キリスト教化した住民を「インディオ」として囲い込み、一方で、統治に抵抗して植民地化を拒んだイスラーム教徒を「モロ」、伝統的なアニミズムを信奉する山地民たちを「異教徒」などと呼び、恐怖や侮蔑の思いを募らせて対立

右上：セブの博物館に展示されている、マクタン島の首長でマゼランを殺害した「英雄ラプラプ」の想像図。筋骨隆々の若者に描かれているが、実際には70歳ほどだったとの説もある。
右下：このラプラプ像は、マゼラン像（右）とともに展示されている（ともに著者撮影）。
上：フィリピンの現代アーティストが、ＣＧで描いた老齢のラプラプ。白髪でシワが刻まれた顔、見事な入れ墨を施した体など、ラプラプの新たなイメージを創出している。
下：マクタン島に向かうマゼランの艦船を描いた銅版画（1626年）。

対抗する。

を深めていった。一方のイスラーム教徒は、キリスト教徒ら非イスラーム教徒を「不信心者」として

マクタンでの戦闘の模様は、今日、フィリピンの政府系団体や歴史愛好家の市民らが制作したアニメなど各種の動画をユーチューブで見ることができる。どれも、ピガフェッタの航海記を下敷きにしたストーリー展開だが、それぞれ想像力を膨らませて随所に見せ場をつくっている。

「ヨーロッパ人の侵略を撃退した最初のフィリピン人」。マクタン島北部の戦場だったとされる海岸近くにラプラプを顕彰する立像（台座を含め高さ約六メートル）が建ち、歴史マーカーにそう刻まれている。地元には、「ラプラプは不死のまま岩になり、マクタンの海を守っている」という伝説も残る。

しかし、フィリピンが国家の歴史の中でラプラプを「民族の英雄」と位置づけるようになったのは、そう昔の話ではない。スペイン統治に続くアメリカ統治時代も、歴史教科書には「マゼランは原住民に殺された」とだけあり、ラプラプの名前は出てこない。将来の独立に向けた準備政府が成立する二年前の一九三三年から二年後の一九三七年にかけて、初めて小ぶりの立像が設けられたが、「民族の英雄」化が本格化するのは一九四六年の独立を経て、民族主義を強調する方向で歴史が見直され光が当てられるようになってからだ。

今日の立像は一九五一年、フィリピン国家歴史委員会（ＮＨＣＰ）の前身組織が設置し、その後、何度か補修され造り直されてきた。地元の町名はもともと「オポン」だったが、一九六一年、人口増にともなう市への昇格を機会に「ラプラプ市」と改められた。

ラプラプをもっと讃えよう

ラプラプの立像のそばには、一八六六年にスペイン統治当局が造ったマゼラン記念碑がそびえ立つ。高さ約九メートルのオベリスク風の石塔で、「スペインの栄光」などの言葉が刻まれている。そこはラプラプ像と一体の公園として整備されて「マクタン・シュライン（マクタン聖地）」と呼ばれている。これも一九六九年以降のこと。今は観光の目玉になっている。

「ラプラプの立像の高さが、マゼラン記念碑より低いのはどうしたことか。不愉快だ。歴史上の人物としてマゼランを貶めるつもりはないが、われらがラプラプ像は、もっと大きくあるべきだ」。ロドリゴ・ドゥテルテ大統領（在任二〇一六〜二二年）は五〇〇周年を前に、大統領布告でマゼラン殺害の四月二七日を「ラプラプの日」と定め祝日とした。「驚くべき勇気と勇敢さ、郷土愛を備えた指導力で、私たちに『解放』というレガシーを残してくれた」と、同布告はラプラプの功績を讃える。

立像をはじめ、「英雄ラプラプ」は若々しく筋骨隆々の勇士として描かれてきた。「防御」の象徴として、警察や消防隊のワッペンなどにも採り入れられている。

しかし実際のところ、ラプラプの人物像はわかっていない。最近は、それなりに年齢を重ねた老猾な指導者だったとする見方が、研究者らのあいだから出ている。歴史学者でアテネオ・デ・マニラ大学のアンベス・オカンポ教授（元NHCP委員長）は「七〇歳になっていたのではないか」と推理する。コンピューターグラフィックスを駆使し、白髪で皺が刻まれた顔や、体に見事な入れ墨を施した新イメージを創作したアーティストもいる（117ページの図版参照）。ミンダナオ島などのイスラーム教徒のあいだでは「彼はムスリムだった」との声が上がっている。ピガフェッタの記述を支えに、キリスト教徒になったラジャ・フマボンに対抗した人物だったからというわけだ。また、一部の研究者らは「伝統的な精霊信仰（アニミズム）の信奉者だったのではないか」との見方も提示している。いずれも、推測の域を出ていない。

マクタン島は今日、セブ観光の玄関口になっていて、しゃれた国際空港がある。セブ島へはかつてはフェリーで渡るしかなかったが、今は架橋で結ばれている。二〇二二年四月には、高速道路と一体化した橋が開通した。三本目の橋で、全長が約九キロメートルもある。近年、セブ市内には英語学校が次々にでき、日本からも若者たちが「語学留学」にやってくる。

2……初の世界周航の栄誉はエルカーノに

スペイン海軍の練習船が、二〇二一年三月にフィリピンの海域を訪れ、マゼラン到達五〇〇周年に合わせてゆかりの島々を巡航した。四本マストの「エルカーノ号」（三六七三トン）だ。マゼラン亡きあと、曲折を経て、最後はたった一隻になったビクトリア号（八五トン）を率い、計一八人でスペインの港に生還した船長フアン・セバスティアン・エルカーノの名を冠した大型帆船である。

殺し、殺され、奪い、奪われ

マゼランの討ち死にから四日後の五月一日、船団三隻の生き残り組は、あたふたと逃げるようにしてセブの港を出航する。理由はあとで触れるが、乗組員がさらに減ってしまったこともあり、セブからそう遠くないボホール島で、老朽化が一番ひどかったコンセプシオン号（九〇トン）を焼き捨てた。

上右:「民族の英雄」ラプラプの立像。1951年に建立。左側の奥に見えるのが「マゼラン記念碑」。
上左:1866年にスペイン統治当局が建てたマゼラン記念碑。「スペインの栄光」などの言葉が刻まれている。
下:マクタン島で毎年開催されているラプラプを記念した祭で、討ち取ったマゼランの遺体を運ぶ戦士たち(石山永一郎撮影)。

役に立ちそうな物品はすべて残った二隻に積み替えた。しかし総指揮官マゼランを失って、二隻は迷走する。

セブを出て南に舵をとれば、香料諸島に向かえたはず。直線で約一三〇〇キロメートルだ。ところが船団は西方へと舵をとり、パラワン島やボルネオ島のブルネイなどをふらふらすること数か月。スールー諸島近海に引き返し、ミンダナオ島中西部の要衝地マギンダナオの沖で船を拿捕（だほ）する。その船に地元の「王の弟」が乗っており、彼が香料諸島への航路を知っていた。「北東へと向かうことをやめて、南東へ転じた」と、ピガフェッタは書きとめている。さらなる迷走は避けられたのだ。

拿捕した船には一八人いたが、七人を殺し（理由は不明）、王の弟と、彼の小さな息子を拉致する。コースを南東に向け、今日のフィリピン領域の最南端に位置するサランガニ島の港に投錨。ここで住民二人を捕まえて「水先案内人」に仕立て、ついに香料諸島の島影をとらえた。一一月六日だった。「われわれは神に感謝をささげ、欣喜雀躍（きんきじゃくやく）して全門の大砲を轟かせた」と、ピガフェッタは喜びを表している。

諸島の一つに上陸したのは、二日後だ。セブを出てから半年あまり。スペインのセビリア出発から起算すると二年二か月と二八日目での目的地到達だった。拉致され連行された住民の一人と王の弟、彼の「小さな息子」は途中で逃亡を試みたが、父の肩につかまっていた息子は手が離れてしまい、溺れ死んだ。この場面を、ピガフェッタは淡々と記述している。目的地までの航海の過程で、殺し、殺され、奪い、奪われの惨劇も繰り返されていたのだ。

スペイン海軍の練習船の大型帆船「エルカーノ号」。2021年3月、マゼラン到達500周年を記念して、フィリピンのゆかりの島々を巡航した。（スペイン海軍のＨＰより）

日付のズレに気づく

マゼラン船団の残党は、ポルトガルがすでに香料諸島の一角のテルナテ島に足場を築いていたことを知る。それでも何とか近くのティドーレ島に上陸すると、「ありとあらゆる歓待と厚遇」で受け入れられたという。これは、トランシルヴァーノの『モルッカ諸島遠征調書』に記された記録だ。当時、テルナテとティドーレの有力者間に対立が起きており、対抗上、新参の来島勢力と手を結ぼうとしたのではないか。そう推測する向きもある。

二隻は、地元有力者の後ろ盾を得て、クローブやナツメグなど念願のスパイスを大量に積み込んだ。ところが、マゼランの旗艦だったトリニダード号（一一〇トン）は荷の積みすぎで船底に海水がどんどん浸み込んだ。要するに、欲張ったのだろう。修理には時間がかかる。帰路の風向きや海流も見越して、出航のタイミングをはからなければならない。結局、トリニダード号と乗組員の一部を現地に残し、四七人が乗り組んでビクトリア号だけが帆を上げた。一五二一年一二月二一日だった。この時以来、指揮を執ったのがエルカーノだった。航海の記録者ピガフェッタも、ビクトリア号に移った。

香料諸島への到達という所期の目的は果たした。あとは帰還をめざすだけだ。途中、ティモール島に寄ってひと息ついた。南緯九度、東経一二五度。アジア圏最後の寄港地になったが、この島は貴重な香木であるサンダルウッド（白檀）の産地で、すでにポルトガルが姿を現し始めていた。

数日後、エルカーノ指揮のビクトリア号は同島を離れ、インド洋に出た。年が明け、一五二二年になっていた。ポルトガルの勢力圏を慎重に避けつつ、南半球を横切る航海を続ける。

南緯三四度圏に喜望峰が突き出ている。インド洋と大西洋を分ける「世界で最も危険な岬」とピガフェッタは書く。ここを迂回する前に、「九週間のあいだ帆を巻いて待機」しなければならなかった。「すごい暴風雨」にさらされたからだ。しかも、厳しい寒さとひどい食料不足に悩まされていた。無寄港の帆走で食料の補給ができず、わずかに残っていたのはコメと水だけ。貯蔵していた食肉は腐ってしまった。このあいだに、二一人の船団員が飢えや壊血病で死亡した。遺体は海に投げ入れて葬った。

それでもようやく大西洋に入り、アフリカ大陸の西側を北上。イベリア半島までの距離を計算できる地点までたどり着いた。最後の補給のため、現在のセネガル沖にあるカーボベルデ（緑の岬）諸島のサンティアゴ島に立ち寄ったのは、ピガフェッタの記録だと一五二二年の七月九日だった。

この島で、彼は意外な事実を突きつけられる。疑いもなく、その日を「九日の水曜日」と思い込んでいたが、上陸して聞くと、なんと「一〇日の木曜日」だというのだ。三年前にセビリアを出航以来、毎日欠かさず航海記録を書き続けてきたピガフェッタだからこその驚きだった。

「どうして間違えたのか、説明がつかなかった」とピガフェッタは不思議がり、こう記述している。

「あとで教えてもらったのであるが、それは間違いではなかったのだ」。太陽の運行と同じく、地球の自転と逆向きの西へ西へと進んできたために一日のズレが生じたことを知る。ピガフェッタも船長のエルカーノも、この時、初めて地球を一周したことを確信したに違いない。日付変更線の概念などなかった時代だった。

現在の国際日付変更線は、経度一八〇度線にある。太平洋のほぼ中央部を南北に貫き島国フィジーを通っている。この位置は、一八八四年に米ワシントンＤＣで開かれた「万国子午線会議」で、経線の起点となるグリニッジ子午線を国際的な「本初子午線」とすることが決まったために定められた。当時、英王立天文台はロンドン郊外のグリニッジにあった。

生還者は少なくとも三五人

こうしてエルカーノ率いるビクトリア号は、さらに二か月後の一五二二年九月六日、ついにサンルーカルの港への帰還を果たす。二日後の八日、出発地点のセビリアに戻った。「埠頭に錨を下ろし、全門の大砲をいっせいに轟かせた」と、ピガフェッタは喜びを綴っている。彼はイタリア人だ、「ブラーボ」と叫んだだろうか。

足かけ四年、まる三年。セブ島を出てからだけでも約一年半。航跡はざっと八万キロメートルに及び、直線にすると地球二周分の距離になる。文字に残された記録という意味では、この時、人類は初めて地球が球体であることを確認し、その大きさを把握した。

持ち帰ったスパイスは、クローブなど計二六トン。これだけで全五隻で航海に乗り出した遠征費用をすべてまかない、なお余剰があったという。もっとも、マゼランをはじめ生還を果たせなかった多くの人命のコストは計算に入っていない。当初二六五人が出航し、途中、壊血病などによる病死や餓死、落水、逃亡、処刑などで次々に欠けていき、生還できたのはわずかに一八人だった。しかも、その「あらかたは病気になっていた」と、ピガフェッタは書き残している。出身国の内訳は、エルカーノも含めスペインが九人、イタリア三人、ギリシャ三人、ポルトガル二人、ドイツ一人。ほかにアジア人が四人いたとされるが、彼らはいずれも帰路の途中から乗せてこられたので、地球をぐるりとまわってきた者の中には数えられていない。

ここで特筆しておきたい事実がある。世界周航を完遂した船団員は一八人とされてきた。だが、これはビクトリア号で帰還した船乗りの数である。このほかに、じつはあとになって戻ってきた船団員がいたのだ。世界一周を果たした生還者は、最終的には少なくとも合計三五人を数える。

カレンダーを少し戻そう。スペインへの帰還を目前にしたビクトリア号は、補給のためにカーボベルデ諸島のサンティアゴ島に寄港したが、そこはポルトガルの勢力下に入っており、ビクトリア号の乗組員のうち一三人が同島で拘束されてしまう。ビクトリア号は彼らをそのままにして、イベリア半島に向かった。ところがその後、一三人は解放され、ポルトガル船で帰還した。さらにもう少しさかのぼると、香料諸島のティドーレ島で、船体の補修などのために残してきたトリニダード号の乗組員のうち少なくとも四人がその後、インド洋経由のポルトガル航路でスペインに帰り着いた。つまり、当初の一八人以外に、判明しているだけで計一七人があとから戻ってきたのである。

エルカーノは、初の「世界周航の偉業を成就した船長」として歴史に名を刻む。この功績で、地球の図にラテン語で「Primus circumdedisti me（われを一周した最初の者）」の文字を配した紋章と多額の生涯年金を、スペイン国王カルロスＩ世から与えられた。また、同国王の宮廷秘書トランシルヴァーノが生還者三人から聞き取りをしたうちの一人が、エルカーノだった。聞き取りは国王への報告の形で「遠征調書」としてまとめられ、早くも一五二三年にはドイツで出版され、世の注目を集めたという。

ところが今日、海峡や星雲にその名を残すマゼランの名声に比べると、エルカーノの認知度はスペインでも意外と低い。米航空宇宙局（NASA）が一九八九年に打ち上げた惑星探査機は、金星の軌道に乗って画像を地球に送り続け、五年間のミッションを無事に果たしたが、この探査機にもマゼランの名が冠せられた。一方、エルカーノはといえば、出身地の旧市街への入り口に古びた記念碑があり、街中に像が二体立っているが、近年では一九七〇年代に本人の顔とビクトリア号をあしらった郵便切手がスペインで発行されたぐらいだ。

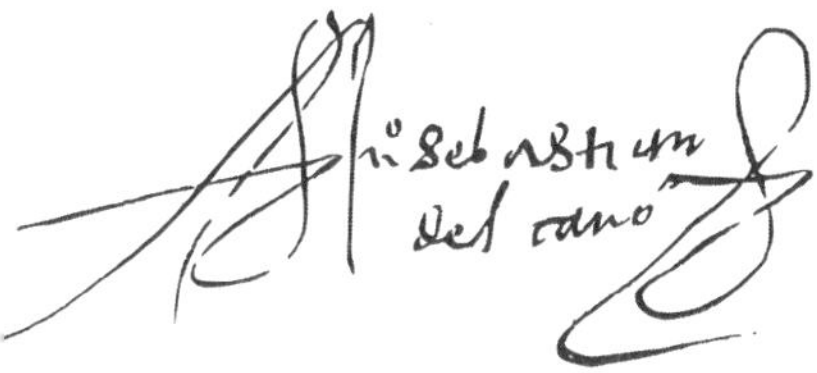

上:1791年の銅版画に描かれたエルカーノ。
中:スペインの郵便切手(1970年代末発行)。エルカーノとビクトリア号が描かれている。
下:エルカーノのサイン。

なぜなのか？

ピガフェッタの航海記を精読すると、ピガフェッタが、マゼランをいかに尊敬していたかがわかる。マクタン島での討ち死にの場面を描写する中で、「われらの明鏡、われらの光明、われらの慰藉、われらの無二の指導者」と賛辞を連ね、「ついに息が絶えた」と弔意を表している。ところが、マゼラン死後の帰港過程の記述に、エルカーノの名前はまったく出てこないのだ。

船団が「南の海（太平洋）」に抜ける前に、越冬のため停泊していた大西洋側の港サンフリアンで、マゼランの指揮に不満を持つ一部の船団幹部が、マゼラン暗殺を企てた反乱事件が起きるが、反乱側についた一人がエルカーノだった。こうした事情もあり、マゼランに心酔するピガフェッタは、航海記でエルカーノに触れるのをあえて避けたのではないか？　航海記は、後年、トランシルヴァーノの遠征調書などより、世間的にはずっと有名になる。

反乱を起こした船団幹部の何人かは、マゼランの命令で処刑された。当時、コンセプシオン号の船長補佐だったエルカーノは処刑を免れたが、身分を下級船員の「水夫」に降格された。この降格が、のちに命拾いにつながったとの見方がある。マゼラン亡き後、セブ島で首長ラジャ・フマボンが船団員多数を宴会に招いて罠にかけ、殺害する。ところが、エルカーノは身分が低かったため宴会に招かれず、殺されずにすんだというわけだ。

いずれにしても、ピガフェッタは生還し航海の記録を残したことで、「マゼランの偉業」を後世に伝える役割を十二分に果たした。しかし、ピガフェッタが生還できなかったとすれば、そして航海記を残さなかったとすれば、もっともっとエルカーノに称賛が集まったのではないだろうか。

ポルトガルの歴史家で、『ポルトガルと日本――南蛮の世紀』（一九九三年刊）の著書があるジョア

ビクトリア号での世界一周帰還者（18人）

職務	氏名	出身地	出航時の船
船長	フアン・セバスティアン・エルカーノ	バスク（西）	C
航海長	フランシスコ・アルボ	ロードス（希）	T
副長	ミゲル・デ・ロダス	ロードス（希）	V
掌帆長	フアン・デ・アクリオ	バスク（西）	C
監査係	マーティン・デ・ユディシブス	ジェノバ（伊）	C
理髪師	フェルナンデス・デ・ブスタマンテ	メリダ（西）	C
砲術長	アイレス（またはハンス）	（ドイツ）	V
甲板員	ディエゴ・ガリェーゴ	ガリシア（西）	V
同	ニコラオ・デ・ナポレス	ナポリ（伊）	V
同	ミゲル・サンチェス	ロードス（希）	V
同	フランシスコ・ロドリゲス	（ポルトガル）	C
同	フアン・ロドリゲス	ウエルバ（西）	T
同	アントン・エルナンデス・コルメネーロ	ウエルバ（西）	T
下級船員	フアン・デ・アラティア	バスク（西）	V
同	フアン・デ・サンタンデル	クエト（西）	T
同	バスコ・ゴメス・ガリェーゴ	（ポルトガル）	T
厨房係	フアン・デ・スピレタ	バスク（西）	V
優待者	アントニオ・ロンバルド	ビチェンツァ（伊）	T

［艦船］C：コンセプシオン号、T；トリニダード号、V：ビクトリア号
［国名］西：スペイン、希：ギリシア、伊：イタリア

・この名簿は、アントニオ・ピガフェッタ他『フィリピン諸島 1493-1898 年』第 34 巻、1521-1522 年；1280-1605 年（電子書籍、2015 年 1 月 9 日公開）をもとに作成した。アントニオ・ピガフェッタは、名簿には「アントニオ・ロンバルド」の名前で登録され、職位は「卓越者」や「優待者」を意味する「Sobresaliente（ソブレサリエンテ）」となっていた。
・この 18 人がスペインのサンルーカル出航時に乗っていた船は、世界を一周したビクトリア号が 7 人で、マゼランの旗艦トリニダード号が 6 人、フィリピンのボホール島沖で焼き捨てたコンセプシオン号が 5 人だった。
・この 18 人のほかに、当初からの乗組員で、後日ビクトリア号と同じルートで戻ってきた船員が判明しただけで 17 人（香料諸島のティドーレ島から 4 人、カーボベルデ諸島のサンティアゴ島から 13 人）いた。これで、世界一周を果たした生還者は最終的に少なくとも計 35 人になることが判明した。

ン・パウロ・オリヴェイラ・イ・コスタ氏は、地球一周を達成したのはエルカーノだが、地理学の知識を一変させたのはマゼランだったと指摘する。だから当時から、マゼランの方が世界的に広く認知されたのだとの解釈を提示している。

カレイの炭火焼きが有名

エルカーノの業績が過小評価されてきたのは、彼がバスク人だったからだとする見方もある。スペインの特殊な政治事情が絡んでいるというのだ。

バスクの歴史家ハビエル・アルベルディ氏は、一九世紀に、歴史家でスペインの首相の地位にも就いたアントニオ・カノバス・デル・カスティーリョ（一八二八〜九七年）が、エルカーノを「冒険家の一人にすぎない」と切り捨て、以来「政治的な愚かさがエルカーノの記憶を抹殺してしまった」と指摘する。スペイン内戦（一九三六〜三九年）の時代には、分離独立や自治権確立を求めるバスク民族主義が高まるのを恐れ、「スペイン人は、コロンブスに次ぐ偉大な探検家は、エルカーノよりもマゼランにしておいた方がいいと思った」というのがアルベルディ氏の解説である。

これは、米紙ニューヨーク・タイムズが二〇一九年九月二〇日、マゼラン船団のスペイン出航五〇〇年のタイミングで現地から報じた。同紙によると、スペイン王立歴史アカデミーはエルカーノの重要性に関する記録を明確にするための文書を発行した。アカデミーのカルメン・イグレシアス会長は「彼について、もっと多くのことが教えられ、話されるべき時が来た」と語ったという。

エルカーノの出身地は、大西洋に面したバスク地方の海岸の町ゲタリアだ。バスク州の中心都市ビルバオとビスカヤ湾を北方に望む、美食の街サンセバスティアンに挟まれた小さな漁港である。近くを世界遺産の「サンティアゴ・デ・コンポステーラの巡礼路」が通っている。

そのゲタリア出身で最も有名な人物はといえば、世界的なファッションデザイナーのクリストバル・バレンシアガ（一八九五〜一九七二年）だろう。海に突き出た丘の中腹に、バレンシアガを記念する立派な構えのミュージアムが建っている。だが、エルカーノの名で一番知られているのは、ミシュランの星つきレストランだ。カレイの炭火焼きが名物で、巡礼客にも人気がある。

エルカーノの航海人生は、帰還後も続いた。スペイン王室は一五二五年、ふたたび香料諸島に向けて遠征隊を派遣するが、その総航海長に抜擢された。探検航海家ガルシア・ホフレ・デ・ロアイサ（一四九〇〜一五二六年）を隊長に七隻からなる船団で、もう一度、マゼラン海峡ルートを抜けて太平洋に出る航路に挑んだ。しかし、不運にも暴風雨に見舞われたうえ壊血病に罹（かか）り、エルカーノもロアイサも死没してしまう。

世界一周の偉業を達成した航海は、これまで「マゼラン船団」や「マゼラン遠征隊」といった呼び名で知られてきた。しかし最近、欧米発の記述には「マゼラン・エルカーノ遠征隊」と両者の名を冠した名称が使われるようになってきている。周航五〇〇年を機に、エルカーノにも改めて「功績の光」を当てようとの意図が込められているようだ。生年は一四七六年とされてきたが、最近の研究で一四八七年とする見方が出ている。とすれば、この海の男は三九歳で生涯を閉じたことになる。

一方、アジアには「初の世界周航」をめぐってもう一人、意外な人物がいた。

3……膨らむ「奴隷のエンリケ」像

ここまで読み進め、マゼランや同行して航海記録を残したピガフェッタらは、フィリピンで出会った人たちとどのようにして意思疎通を図ったのか、疑問がわいたかもしれない。諸島到達の当初は、身ぶり手ぶりだった。ところが、すぐに驚くべき事実が判明する。レイテ島南端沖の離島リマサワで、マゼランが連れていた「エンリケ」という名の「奴隷」が島民に話しかけると、「言葉が通じた」というのだ。以降、セブでもエンリケが通訳役を果たす。

エンリケとは、いったい何者だったのか？

出身地はどこか

マゼランが一六世紀初頭、ポルトガル艦隊員としてマレー半島のマラッカ制圧に出征したことはすでに触れた。その際、彼は同地で「奴隷」を手に入れ、一五一三年にインド洋経由でイベリア半島に戻る時、連れ帰った。その若者をエンリケと名付け、いつも同行させていたという。利発な青年だったらしく、トランシルヴァーノの聞き書きによると、「スペイン語を完全に習得し、自由自在に話す」ことができるようになった。当時、奴隷の売買はどこでも珍しくなかったようだ。リスボンやセビリアなどイベリア半島各地には、日本人も含めアジア各地から「奴隷」が連れてこられていたという。

エンリケの出身地については、諸説ある。現マレーシアのマラッカだったとの説や、インドネシアのスマトラ島、「香料諸島」と呼ばれたマルク（モルッカ）諸島、フィリピンのセブ周辺のビサヤ地方などの説だ。

いずれも東南アジアの島嶼部の、いわゆる「マレー世界」に属する海域一帯である。そこでは交易上のリンガフランカ（国際共通語）として、ムラユ語（広義ではマレー語）が使われていたことがわかっている。発音や構造が簡明化することで「共通語」化して広まった。その意味では、東アフリカのリンガフランカになったスワヒリ語にも似たような背景がある。ピガフェッタは、エンリケがリマサワ島の「王」に言葉をかけると理解できたとしたうえで、「この地域では一般に王というものは臣下たちよりもいろいろな言葉に通じているものなのだ」と特筆している。

上：セブで毎年開催されている、フマボンを記念した祭でエンリケ（右）とマゼラン（左）を演ずる地元の男性（石山永一郎撮影）。
下：想像上のエンリケを描いた、フィリピン「500周年委員会」のポスター。

もう一つ、興味深い話がある。トランシルヴァーノによると、セブのラジャ・フマボンのもとにはマルク諸島に住んでいたことがある「インディオ」が「家来」として仕えていて、エンリケはセブではこの人物を介して意思を通じ合ったという。ただ、これについては、なぜかピガフェッタはまったく触れていない。

いずれにしても、この海域一帯で話されている言葉は、オーストロネシア語族に属するマレー・ポリネシア語派に分類される。故地は中国南部や台湾で、五〇〇〇年前ごろから波状的に南下し、拡散したことがわかってきている。とりわけルソン島北部のイロカノ語やマニラ周辺のタガログ語、ビサヤ地方のセブアノ語やサマール島、レイテ島のワライ語などフィリピン諸語は、スラウェシやマルクなどインドネシアの東部諸語と比較的近い。ピガフェッタは航海記に、セブ島で聞き取ったとする一六〇の単語とマルク諸島の単語四二七を収録している。それを見ると、数字や体の部位、動植物などの名称その他には、類似する言葉が数多くあることがわかる。このセブアノ（セブ語）の単語集は書き残された最古のリストとしても貴重だ。

マレー語圏出身のエンリケが、インド洋、大西洋、太平洋を越え、西回りで地球をぐるりと一周してマレー世界に戻ったのだとすれば、彼こそが記録に残る初の「世界周航の偉業」を成し遂げた人物ではないのか。伝記作家のツヴァイクも、この点に目を向ける。

マゼランが討ち死にしたマクタンの戦いで、エンリケも負傷している。彼がマゼランに忠実につかえていたことをうかがわせる出来事だ。傷は軽かったようだが、「主人亡きあとは自由の身になれる」と信じており、船内で寝転んでいた。マゼランはスペイン出航に際し、当時の探検家がそうしたように「遺書」を残していたことが知られているが、万一のことがあったら「奴隷を解放する」と書かれていたとされ、その旨をエンリケにも話していた可能性がある。ところが、ピガフェッタによると、マゼランのあとを継いだ旗艦の新指揮官に怒鳴りつけられ、働かなかったら「ムチで打つぞ」と脅されていた。エンリケがいなければ、ラジャ・フマボンらとの話は通じないし、この先の交渉事にも支障をきたすのは明白だった。

エンリケは解放されず、相変わらずの「奴隷」扱いを受けて不満を抱く。不満は憎悪に転じ、復讐心へと変わっていった。報復の思いを胸に秘めて陸に上がると、フマボンに接触し、「〔連中が〕まもなくこの地を去ろうとしている」と耳打ちする。「〔うまくやれば〕船と物資を、ぜんぶ手に入れることができる」とも持ちかけた。そうピガフェッタは書くが、この「陰謀」を、ピガフェッタが、いつ、どのようにして知ったかは、航海記には明記していない。

規律に厳しかったマゼラン亡き後、陸に上がった船団員の中には素行に乱れが出る者もいて、地域を統率するラジャ・フマボンも不信感や不満を募らせていたところだった。マゼランとは「血盟」を結んだ間柄だが、ほかの船団員たちに義理立てする理由はない。

マクタン島の戦いから四日後の五月一日のこと。フマボンは使者を送って船団員を饗宴に招く。二七人（二四人説もある）が出かけていった。だが、マクタン島で負傷したピガフェッタは船に残り、宴会を欠席する。宴会場まで行ったものの、「よからぬこと」の気配を感じたという船団員二人が、船に戻ってきた直後、突然、陸の方から大きな悲鳴が聞こえてきた。

何事が起きたのか？　すぐには判然としなかったが、船内にとどまっていたピガフェッタらは異常事態を察し、残った乗組員だけで三隻は素早くセブの港を離れたのだった。

事件後、消息は途絶えた

のちにわかったのだが、宴会に出ていた船団員は、先に戻った二人を除いて全員がフマボンの部下たちに殺害された。ピガフェッタが「陰謀」を知ったのは、先に戻って殺害を免れた二人から事情を聞いたからと推察できる。トランシルヴァーノの聞き書きには、饗宴はエンリケがフマボンと謀った罠だったことが示唆されている。

エンリケは無事だったと思われるが、この事件ののち、消息が途絶える。航海記から消えたのだ。聞き書きにも、その後のことは出てこない。どこへ行き、どうなったか？　まったくわかっていないのだ。

だからであろう、エンリケの人物像と「その後」は、マゼランら西洋人に「発見された」側の想像力をかき立てるのだ。各方面からさまざまな推測が提示され、いろいろな物語が生まれた。

マレーシアの歴史小説作家ハルーン・アミヌラシッド（一九〇七～八六年）は、一九五八年に小説『Panglima Awang（アワン司令官）』を発表し、エンリケを「アワン」と呼んで英雄物語に仕立てた。主人公マゼランの死後、アワンはマレー半島のマラッカ海峡に面した故郷ジョホールに戻って余生を送り、彼の息子がマラッカを占領していたポルトガルの追放に立ち上がるという筋書きだ。

この小説は、マレーシアが一九五七年に「マラヤ連邦」としてイギリスからの独立を勝ち取る時期に執筆されたもので、「ナショナリズム」の高揚に共鳴する物語でもある。アミヌラシッドは一九六一年、続編として『Anak Panglima Awan（アワン司令官の息子）』を出版している。その後、想像上のアワンの立像も造られ、現在、マラッカ海洋博物館に展示されている。

映画「500年の航海」のパンフレット。

「家具のおまけ」がバリクバヤン

フィリピンでは、映画界の異才キドラット・タヒミク監督（一九四二年〜）が創造力を縦横に発揮する。エンリケを、ルソン島北部の山岳地帯イフガオの出身と見立て、二〇一五年に映画『Balikbayan（バリクバヤン）』を世に出した。「帰郷」という意味だ。日本では二〇一九年に『五〇〇年の航海』のタイトルで上映された。

エンリケは山の子で、風に飛ばされて海に落ち、海賊に拾われ、マラッカへと渡る。市場に連れていかれて中国人に売られ、蚤の市でマゼランに「家具のおまけ」として買われた。「奴隷」になったエンリケを、西欧文明に隷属する第三世界の象徴として描くストーリー展開が読みとれる。

タヒミク監督のライフワークともいえる長編だ。三五年の歳月をかけて制作に取り組んできた。ユーモアとエスプリにあふれ、パロディも満載の作品である。しかも、まだ最終版ではなく、完成途上だという。日本で上映された時のパンフレットにそう書いてある。

監督と個人的にも交流があり、フィリピンを主な研究フィールドにしてきた文化人類学者である京都大学の清水展（ひろむ）名誉教授は、エンリケを「奴隷の不服従、抵抗、そして反植民地闘争の魁（さきがけ）」と分析する。そして、この映画には「マゼランを顕彰する欧米の歴史観と、それが世界の正史となって通用しているヘゲモニー（覇権）に対す異議申し立て」というメッセージが込められているとみる。映画で、ピガフェッタは母国イタリアに戻って航海記の出版準備にかかるが、文字を持たないエンリケは郷里に帰り、世界周航の思い出を木に彫り付けていく。含蓄に富む示唆的な場面である。

タヒミク監督自身、映画の主人公エンリケと同じく山岳地のバギオ出身だ。米ペンシルベニア大学ウォートン校でＭＢＡ（経営学修士）を取得し、パリのＯＥＣＤ（経済協力開発機構）のスタッフとして働いた経歴を持つ。だが、清水名誉教授によると、国際公務員暮らしも、しょせんそこは欧米社会であり、「フルメンバーにはなれない」ことを悟った彼は、五年後に自ら機構をドロップアウトし、故郷に戻って芸術家のコミューンに入った。

映画のタイトルの「balik（バリク）」はフィリピン語で「戻る」を意味し、「bayan（バヤン）」には「故郷」「くに」の含意がある。今日のフィリピンは海外就労大国だ。全人口のざっと一〇％に当たる一〇〇〇万人あまりが移住や就労で海外に出ている。「バリクバヤン」は、そうした海外組の「里帰り」をさす言葉として一九七〇年代以降、広く定着した。当時のマルコス大統領は「余剰労働力の有効活用」といったレトリックで海外就労を国策に据えた。

二〇一〇年代のことだが、こんな話もある。セブのサウスウエスタン大学の教授だった歴史学者ワルフェ・エングラシアが、マレー・ポリネシア学会で、「最初に世界を一周したのはフィリピン人のエンリケだった」という話を披瀝（ひれき）した。すると、すかさずマレーシアとインドネシアの学者から反論が相次ぐ。「あの日以来、私は『マレー民族のエンリケ』ということにした。まあ、当時は今でいうような『国家』がなかったからねぇ」。後日、歴史学者はそう話していた。

マゼラン、ラプラプ、エルカーノ、そしてエンリケ。この四人は、それぞれの「ナショナリズム」

を刺激する歴史上の人物なのだ。

4……民族の誇りを掘り起こせ

フィリピン中部ビサヤ地方のボホール島出身のヨヨイ・ビリャーメ（一九三二〜二〇〇七年）は、シンガーソングライターだ。遅咲きながら一世を風靡し、コメディタッチの歌を得意とした。作詞作曲で歌手デビューした出世作が、一九七二年発表の「マゼランの歌」だった。

マニラの中華街にあった劇場で、私は一九七〇年代の半ば、彼のライブショーを観たことがある。「マゼランがフィリピンを発見した」で始まる歌詞を、独特の発音の英語で語りかけるように歌い、時々「よかった、よかった」と母語で自虐的なアドリブを入れると、観客がどっと沸く。「でも俺たち、それまで何だったの？」と続ける間合いが絶妙で、さらに笑いが広がった。最後までちゃかし、「まあ、そんなこと、どうでもいいんだけどさぁ」といった調子のアドリブで締めるのだ。

最近、改めてCD（二〇〇九年制作）で聴き直してみた。ライブと違って、こちらはツッコみが抑えてあり、ちょっともの足りない。フィリピンの庶民が愛し、ヨヨイの持ち味だった自虐の毒が抜けている。それでもこの歌は、今なおアルバムが版を重ねる異例のロングセラーだ。多くのフィリピン人にとってマゼランは、善きにつけ悪しきにつけ、好き嫌いの思いを超えて、自らの「過去」を語る時に欠かせないキャラクターなのだ。

「穏やかで、つつましい民」

「マゼランではなく、『マクタン島の戦い』と『ラプラプの勝利』に焦点を当てる」――フィリピン国家歴史委員会（ＮＨＣＰ）のエスカランテ委員長は、二〇二一年初頭、マゼラン到達五〇〇周年キャンペーンの意義をこう強調した。そして、フィリピン人を中心に据えた視点から歴史を見直し、若い世代に伝えていく機会にすると宣言。同時に、ドゥテルテ大統領は「ナショナリズムの火をふたたび燃え上がらせよう」と力説した。

フィリピン政府はこれに先立つ二〇一八年五月、「五〇〇周年委員会（ＮＱＣ）」を結成する。ＮＨＣＰの歴史研究者をはじめ、内務自治省や外務省、観光省といった省庁の幹部らからなる組織で、歴史を振り返るイベントとともにビジネスフェアなども企画した。多彩な催しを展開し、海外からも観光客を呼び込もうという思惑だった。ところが、あいにくの新型コロナウイルス感染症の大流行で計算は大きく狂ったが、オンラインで「民族の誇り」「勝利と人間愛」などをテーマにしたフォーラムやレクチャーが繰り広げられた。

カンボジアのアンコールワット、インドネシアのボロブドゥール、ミャンマーのバガン……。フィリピンのインテリたちは、近隣アジアのそうした古代遺跡や巨石文化がこの国に欠けていることに、コンプレックスを抱いてきた。

何とかその思いを乗り越えたい。「巨石文化は、権力者が無辜の民を大量動員して築いた血と汗の結晶だ。フィリピンにそれがない。われらが先祖はそれだけ穏やかで、つつましい民だった」。国立フィリピン大学の人類学者フェリペ・ランダ・ホカノ教授（一九三〇～二〇一三年）は、常々、こんなふうに話していた。文明につきものの強大な権力や大きな貧富の差は、まだ生じていなかったからだろう。それはそれで「豊かさ」の証しではないか。そうした思いを込めた発言だった。

フィリピンは「野蛮」でも「未開」でもなかった。

スペイン人の行政官モルガが残した記録『フィリピン諸島誌』は、研究者たちの間で「つとめて客観的立場に立ち、公平かつ多角的」に当時の実態を叙述している、と評価されている。モルガはこの本で、住民は「アラビア文字に似た特殊な文字」を持っており、「全諸島を通じて〔……〕非常に立派に字を書く」と特筆している。しかも、男女とも識字率がきわめて高く、「適切に書けない者はごくわずかしかいない」との観察を残した。

それは、古代インドのブラーフミー系の文字である。一三世紀から一四世紀にボルネオ経由で伝えられたとされ、マニラ周辺のタガログ地方などでは「バイバイン」と呼ばれてきた。母音が三つ、子音は一四が基本で、その組み合わせで五九の文字がつくれる。主に竹や樹皮、木の幹などに刻んだ。内容は呪文や叙事詩などだった。しかしながら、雨季には高温多湿になる土地柄だ。古い時代に文字が刻まれた竹や樹皮はほとんどが朽ちて消滅してしまったという。

基層に息づく伝統文化

長い植民地時代、この文字が見直されることはほとんどなかった。ローマ字が導入されたことに加え、西欧中心主義の文化・文明観がはびこる中で土着の文物は見下され、歴史の地層に埋もれていった。とはいえ、基層の伝統文化がことごとく破壊されたわけでは、もちろんない。文字は地方によっていくつかバリエーションが生まれ、パラワン島やミンドロ島などの主に山地に暮らす人たちのあいだで受け継がれてきた。一九世紀末にスペインからの独立闘争が展開された際には、バイバインが秘密結社「カティプーナン」のシンボルマークに使われた。近年は、都会の若者らがロゴにしてＴシャツに刷ったり、タトゥーに彫り込んだりしている。デジタルのフォントもつくられ、ＳＮＳで文字を交換し合ったりもしている。「オシャレでカッコいいから」といった感覚だ。動機が何であれ、背景に伝統文化を再評価する余裕が生まれているからではないか。

現代の街にバイバイン探しの旅に出る青年を描いた映画もつくられた。題して「Green Rocking Chair: A Juan Baybayin Story（緑のロッキングチェア――ファン・バイバインの物語）」。フィリピンのインディペンデント系映画の先駆者の一人で、「ロックスリー」の名で知られるロック・フェデリソン・リー監督（一九五〇年～）が、二〇〇八年に発表した作品だ。「これまで多くのフィリピン人たちは、昔から伝わる固有の文字があったことすら知らなかったり、無関心だったりした。古い文字を通じて、自分たちの文化への熱い思いを刺激したい」。そう映画制作の意図を語っている。

そうした折、フィリピン政府は二〇一六年八月一五日以降発行のパスポートのデザインを新しくし、顔写真など所持人のデータが記載されるページの対面に初めてバイバインを刷り込んだ。内容は旧約聖書の箴言、第一四章三四節の一部で「正義は国を高め、罪は国民をはずかしめる」（新日本聖書刊行会『新共同聖書』二〇二二年）のフィリピン語訳を、二行にわたるバイバインで表した。政府の広報担当者は、「ほとんどの人は読めないだろうが、フィリピンの独自性を示す狙いを込めた」と言っている。

フィリピン議会は、伝統文化の見直しの一環としてバイバインなど伝統文字の調査研究と保存・教育の法制化を進めている。

Núm. 1.

Alfabeto tagalog usado por el P. Fr. Francisco Lopez

a　e vel i　o vel u

ba　be vel bi　bo vel bu　b　ca　que vel qui

co vel cu　c vel q vel k　da　de vel di

do vel du　d　ga　gue vel gui　go vel gu　g

nga　nge vel ngi　ngo vel ngu　ng　la　le vel li

lo vel lu　l　ma　me vel mi　mo vel mu　m

na　ne vel ni　no vel nu　n　pa　pe vel pi

po vel pu　p　ha　he vel hi　ho vel hu　h

sa　se vel si　so vel su　s　ta　te vel ti

to vel tu　t　va　ve vel vi　vo vel vu　v

ya　ye vel yi　yo vel yu　y

左上：古代文字バイバインとローマ字の対応表。
右上：バイバインが印字された（右端の中央）、フィリピンのパスポート（2016年以降の発行のもの）。

古代の文字が刻まれている「ラグナ銅板碑文（LCI）」。「サカ822年」と記されているが、西暦900年にあたると解釈される。（マニラ国立博物館の文化人類学館蔵）

文字に関していえば、もう一つ。マニラ近郊のラグナ州で一九八九年、河川の浚渫現場から黒ずみ、四隅がやや曲がった金属板が見つかった。縦が約二〇センチ、横三〇センチ。長方形の銅板だった。最初、古物商に持ち込まれたが、コレクターのメガネにかなわず、マニラの国立博物館が引き取って調べてみて、びっくり仰天。バイバインと類似し、インドネシアなどに残る系統のカウイ文字が一〇行にわたってぎっしり刻まれている。オランダ人の民族学者アントン・ポストマ（一九二九～二〇一六年）の協力を得て解読した。ポストマはミンドロ島に長く暮らし、山岳民ハヌノオ・マンヤンのあいだで受け継がれてきた古代文字に通じていた。

古代のマレー語・ジャワ語・タガログ語が使われ、英訳すると約二〇〇語になる。文頭に「サカ八二二年」と記されており、西暦九〇〇年に当たると解釈できるという。内容は、マニラ周辺を治める首長一族と周辺集落の長らとの貸借や権利関係の裁定の記録などと判明した。遠く離れたミンダナオ島北部のブトゥアンや、さらに遠隔地のスマトラ島メダンの首長らとも交流があったことを示唆する文面だ。文章は途切れており、これに続く未発見の碑文の存在をうかがわせる。

「ラグナ銅板碑文（ＬＣＩ）」と呼ばれ、現在、マニラの国立博物館付設の文化人類学館に保管されている。研究者らの一部にＬＣＩの真贋を疑う声もくすぶってはいるが、これまでフィリピンでは碑文が出なかったことにコンプレックスを抱えてきた人たちを大いに喜ばせる発見だった。

少なくとも五〇〇年前には、セブが広く環南シナ海圏から多くの船が出入りする地域のビジネスハブになっていたことはピガフェッタの航海記から推察できる。そこでは「法秩序を持ち、度量衡を定め」ており、首長のラジャ・フマボンは異国船の入港に「税」をかけるなど、外交・交易に通じていたことがうかがえる。

マゼラン船団は、セブ島以北へは行っていない。マニラがあるルソン島には足跡を印さなかったが、マゼランの討ち死に後、生き残った乗組員による船団が香料諸島をめざす航海の過程で立ち寄ったブルネイで、マニラからとみられる船が出入りしていることを知る。ピガフェッタの記録によると、船には「ルソン島の王の息子」が乗船していた。マニラが当時、ボルネオ島の沿岸部を版図に入れていたブルネイと交易や有力者間の婚姻などを通じて、結びついていたことを示唆する記述である。

話は前後するが、長い航海で病気や飢えに苦しむマゼラン船団がビサヤ地方にたどり着いた時、地元民は進んで食べ物を提供した。体調が快復すると、土地の有力者らが宴席を設け、酒食でもてなし、女性たちが楽器を演奏、人びとは陽気に振る舞い、おしゃべりを楽しんだりしてエンターテイナーぶりを発揮した。そうした様子をピガフェッタが各所で記述している。

ピガフェッタの航海記を読み返したというフィリピン政府観光省の広報担当者は、二〇二一年三月、東京からの電話取材に、「ほらね、私たちフィリピーノは、昔からホスピタリティの精神にあふれていたんですよ」と得意気だった。

しっかりしていて強かった

「五〇〇年前のベッドの中と政治におけるビサヤ女性のパワー」——二〇二一年二月には、こんなテーマで社会学者や歴史学者がオンラインフォーラムを開いた。マゼラン到達時のバランガイ社会の時代から、男女間の格差が小さく、女性は「しっかりしていて強かった」という結論だが、現在でもフィリピン女性の地位は相対的に高い。

スイスのジュネーブに本部を置く「世界経済フォーラム（ＷＥＦ）」が毎年発表している男女格差

ランキングで、フィリピンは相対的に格差が少ない上位の常連国に入る。政治参加・経済・教育・健康の四分野一四項目のジェンダーギャップを指数化して総合した順位付けだが、フィリピンは二〇二二年報告で一四五か国のうち一九位。アジア太平洋諸国に限ると、例年、断トツを維持している。ちなみに、日本は一一九位で、先進七か国（G7）の中でも最下位だ。

フィリピン女性の各界進出ぶりは目覚ましい。アメリカ統治時代に、独立準備政府が設けられた二年後の一九三七年には、アジアで初めて女性参政権が認められた。一九四六年の独立以来、女性大統領が二人誕生している。航空業界では二〇二〇年一〇月、フィリピン航空（PAL）が、サウジアラビアのリヤド発マニラ行きエアバスを女性パイロット三人で初めて飛ばした。機内に二本の通路と二〇〇以上の座席がある「ワイドボディ」機の、女性パイロットだけでの長距離飛行はこれが世界初の快挙とされる。二〇二一年の東京オリンピックでは、フィリピン初の金メダルを獲得したのは、女性の重量挙げ選手だった。教育熱も高く、大学進学率は女性の方がいつも男性をわずかながら上回る。

ただ、留意すべきことがある。自給自足型だったかつてのバランガイ社会時代と違って、今日のフィリピンは経済格差が非常に大きい社会だ。歴史の展開過程で、ひと握りの上層エリートと圧倒的多数の大衆からなる二階層社会が形成されてきた。近年は経済成長にともなって中間層が膨らみ、人口増もあって絶対数は増えたが、構成比は相変わらず一五％から二〇％とみられている。男女とも各界で活躍しているのは主にそうした中間層以上の人たちで、彼ら・彼女らの社会進出を可能にしているのは、経済的に恵まれない層の男女が家事労働など裏方の諸般を支えているからでもある。WEFのギャップ指数には表れにくい点だ。そこを見過ごすと実態がつかめない。

五〇〇周年記念委員会（NQC）は二〇二一年から、マゼラン船団が足跡を残した地点に「歴史マーカー」を設置するプロジェクトを進めている。最初に上陸したホモンホン島、初めてのイースターサンデー・ミサが行われたリマサワ島、ラジャ・フマボンがマゼランと血盟の契りを結んだセブ島、ラプラプがマゼランとの戦いに勝利したマクタン島など計三四か所が候補地だ。高さ約二・五メートルの台座に浮き彫りのレリーフをはめ込み、上部に地球儀の模型をのせたマーカーを据える。

5……「ジパング」は、フィリピンだった？

イタリア・ベネツィアの商人マルコ・ポーロ（一二五四～一三二四年）。アドリア海に浮かぶコルチュラ島（現クロアチア）が生地とされる彼はユーラシア大陸を旅し、中央アジアや中国の各地を訪ね、一三世紀末に口述記録を残した。日本でいえば鎌倉時代のことである。口述記録は「旅行記」として、一四世紀初頭からヨーロッパの諸言語に訳されて評判を呼んだ。時代は下って、ヨーロッパの大航海時代の幕開けを後押しする要因の一つになったといわれる。コロンブスもマゼランも、そしてピガフェッタも刺激を受けたに違いない。

旅行記の日本語訳が有名な『東方見聞録』だ。この翻訳が初めて登場したのは明治時代、中学校の東洋史の教科書だった。

海外の史資料を読み込む

マルコ・ポーロの旅行記で、ヨーロッパ人たちの憧れを誘った黄金の島「ジパング」は、日本だったといわれてきた。ところが、その黄金郷は空想の産物だったとの見方がある。マルコ・ポーロ以降、ヨーロッパの地図には「ジパング」が描かれるようになったが、その位置はほとんどが北回帰線（北緯二三度）以南の赤道寄りになっていた（67ページの地図を参照）。マゼラン船団に同行したピガフェッタもそうした地図を見たことがあったようだが、太平洋横断途中で、なぜか、そこは「南緯二〇度」にある島と記述している。

「ジパング」は今日のフィリピンだったとする説も、じつは以前から一部の研究者らのあいだにあった。近年では、歴史家の的場節子氏が博士論文（國學院大学に二〇〇三年提出）にまとめ、著作『ジパングと日本――日欧の遭遇』（吉川弘文館、二〇〇七年）で詳述している。本格的な学術書である。

同書によると、「極東黄金島ジパング＝日本」説は、一七世紀前半、ポルトガル人のイエズス会士ジョアン・ロドリゲスが著書『日本教会史』の中で展開した主張で、「日本国」の中国語読みが転訛して「ジパング（Zipangu）」となり、それがイエズス会士の歴史家たちに継承されて西洋で定着し、日本に輸入された。明治期の日本は、「西欧人が昔から日本に憧れていた」との解釈を歓迎したのだという。

この研究で、著者はスペイン・ポルトガル・イタリアの歴史文書館などで古地図をさらい、史資料を丹念に読み込んで「ジパング」の所在を検証した。結果、「ジパング＝日本」説に矛盾が数多く浮かび上がり、その半面でフィリピン説に符合する史料が「ありあまるといっても決して過言ではない」くらい残っていることを突きとめ、黄金島はフィリピン諸島を中心にした多島海地域をさすとの結論に至ったという。

イタリア語で書かれた見聞録は、翻訳・転写が重ねられた結果、固有名詞の綴りなどにいくつ

「500周年記念委員会」が、マゼラン船団が足跡を残した34か所に設置している「歴史マーカー」。台座に浮き彫りのレリーフ、上部には地球儀を据えている。

右：マニラ中央郵便局が発行した「マクタン島での勝利（ラプラプによるマゼラン殺害）の500周年記念」切手。楯を持ったラプラプの立像がデザインされている。
下：「500周年記念委員会」のロゴ。同じくラプラプの立像のシルエットが描かれている。

ものバリエーションが生まれた。「極東黄金島」の名称に使われた綴りは「Zipangu」のほかに、「Cipangu」「Cyampagu」「Siampagu」などがあるとし、的場論文は「現存の写本・版本中の綴りから推察すれば、〔一三世紀後半に中国南部の〕泉州で聞いた諸蕃（tjiapan）国の情報を、Zipangu情報としてマルコ・ポーロが伝えたことは十分考えられる」と指摘。Zipanguはイタリア語の発音で「ツィパング」と表記できるという。

　これまでの日本における研究は「海外所在の多様な関連史料」の追究が欠けていたとしたうえで、的場論文は日本で知られていなかった史料を公開するのが出版の狙いでもあったと述べている。朝日新聞は二〇〇七年九月四日付の紙面で的場論文の出版を紹介し、ヨーロッパにも前々から「黄金島は本当に日本なのか」と疑問を投げかける見方がある、というフランス国立高等研究院のシャルロッテ・フォン・ヴェアシュア教授のコメントを載せた。東アジア史が専門の同教授は、その疑問に「初めて一つの答えが示された」として的場論文を評価した。

　マルコ・ポーロは日本には来ていない。台湾を東方に望む「泉州」は、今日の福建省にある港町で、マルコ・ポーロはここで黄金島情報を仕入れたとみられている。その時代に用いられた「諸蕃」とは、中国の王朝が朝貢すべきとみなす周辺諸国をさしたとされる。日本の貢船も中国を訪れていたが、入港したのは主に泉州より五〇〇キロほど北方の寧波（ニンポー）などだった。泉州は古くから「海のシルクロード」の起点として知られ、一〇世紀ごろから通商が活発化していた。マルコ・ポーロが訪れたころには、マレー海域はもとより、遠くインドやペルシャ、アラビア半島などからの商人らが出入りする国際都市になっており、各地の情報が蓄積されていたとみられる。一四世紀前半にはモロッコの冒険旅行家で大著『大旅行記』を残したイブン・バットゥータも泉州を訪れている。

航海記にも随所に産金情報

『東方見聞録』（マルコ・ポーロ、青木一夫訳）の黄金情報をかいつまんで引用してみよう。

〔……〕この島には、「莫大な量の黄金」がある。君主は大きな宮殿を持っており、それが「すべて純金」で覆われている。宮殿の屋根はすべて純金で葺かれている。「たくさんある部屋は、これまた床を指二本の厚みのある純金で敷きつめている」。広間や窓も同じように「ことごとく金で飾りたてられている」。さらに、「美しいバラ色の、円くて大きな真珠がたくさんとれる」とあり、「ほかにも、いろいろな宝石を豊富に産出する」と書く。

そして記述は、こう続く。

〔……〕「この莫大な財宝について耳にした大汗、すなわちいまの皇帝クビライは、この島を征服しようと思いたった。大船団と、騎兵、歩兵の大軍を派遣した」。

ロドリゲスの「ジパング＝日本」説は、この記述を主要な根拠の一つにしている。しかし、的場論文は、ここに書かれた「元寇」を、ロドリゲスが、モンゴル海軍による二度の「対日元寇」（一二七四年の文永の役と一二八一年の弘安の役）と取り違えたとみる。史実や実情と合わないからだという。当時の元は「海上諸国制覇」を狙っており、日本以外にも「数回にわたって南シナ海に出撃した記録がある」とし、それを裏付けるとする史料を添えた。

　また、大粒でバラ色の真珠について、的場論文は、日本産のアコヤ貝にはその種の真珠がないと指摘し、フィリピンの「ビサヤ海域など熱帯の大型白蝶貝産真珠で採取」すると論じている。

　黄金情報に関しては、マゼランに同行した航海記録者ピガフェッタが、セブなどで、有力者が「宝石をちりばめた大きな金の耳飾り」をつけているとか、「王が所有する壺は全部が金」で「住居の一部も金でできている」と記述するなど、随所で産金情報に触れている。リマサワ島では、「土を篩らだけ」で、「胡桃かそれとも鶏の卵ほどの金塊」が見つかる、とも書きとめている。

　スペイン統治初期（一六世紀末）の行政官モルガも、フィリピン各地の島々に「たくさんの金鉱や砂金の採取場がある」との報告書を残した。さらにモルガは、スペイン人の「器用さと努力が金の採掘に注がれたならば、これらの島々からは世界中のどの地方よりも多くの金を採掘できるであろう」としたうえで、スペイン人は「他の商売に従事」しており、金の採掘に「特別の意図を持ってたずさわってこなかった」と記述している。「他の商売」とは、マニラを中継地にして、中国の絹とアメリカ大陸の銀を運ぶ「ガレオン貿易」をさす。この貿易については、第5章で詳しく論じたい。

　現インドネシアのスマトラ島などにも古くから産金情報があり、ヨーロッパにまで伝えられていた。そして、そこにもマルコ・ポーロのジパング伝説と結びつける見方が残っている。

「ジパング」は通説どおり日本だったのか、はたまた単なる空想の産物か、あるいは諸情報を混合したものなのか。

　いずれにしても、こと「黄金話」となると、時にオーバーになりがちで「盛った感」は否めないが、フィリピンは今日でも主要な産金国だ。米地質調査所（ＵＳＧＳ）のデータによると、産金量はアジア・オセアニアでは中国とオーストラリアが突出しているが、フィリピンはインドネシアに次ぐ量を算出し、一九九〇年から二〇一八年の平均で年三万一〇〇〇キロあまり。フィリピン環境天然資源省の調べだと、金鉱は全国八一州のうち半数にあり、ルソン島北部の山地やミンダナオ島のダバオ・デ・オロ州などが多い。産出は古い時代からほとんどが労働集約型の小規模採掘によっており、推計五〇万人が砂金採りなどの作業に関わっている。

「黄金島ジパング＝フィリピン」説について、国立フィリピン大学の歴史学者、リカルド・ホセ教授は「とても興味深い。フィリピン側でも調べる価値があると思う」と関心を示している。

見直されるトライバル・タトゥー

もう一つ、もっと大胆な説がある。日本古代史最大の謎とされるのが「邪馬台国」の所在だが、「邪馬台国はフィリピンだ」との主張が、同名の著作（加瀬禎子著、一九七七年「月刊ペン社」刊行）で

上：フィリピン各地には、金鉱山がある。採掘している現場。
下：採取した砂金を買い取る業者。（ともにミンダナオ島で著者撮影）。

展開されている。三世紀ごろの邪馬台国に関するおおもとの史料は、『魏志倭人伝』と通称される中国の歴史書『三国志』（中国・晋の陳寿による編纂）の中の「魏書」第三〇巻にある「烏丸鮮卑東夷伝倭人条だ。二〇〇〇字ほどの記述で、漢文の読み下し文にすると約四〇〇〇字。児童文学者でもあった著者はこれを独学で読み解き、先行研究にも検討を加えた。中国南部の海岸から「倭国」への方位、行程、海流、風向きなどを調べ直し、民俗学や動植物学の知見も動員すると、邪馬台国があった場所は「ルソン島西側の平野部」に行き着くというのだ。

『魏志倭人伝』には、「男子は大小となく、黥面（げいめん）文身す」とある。つまり、邪馬台国の人びとは顔や体に入れ墨をしているという記述だが、これも「邪馬台国＝フィリピン」説を補強する材料の一つだと著者は主張する。日本列島にも入れ墨の文化はあったが、大和朝廷が確立してからは「刑罰として行われる」ようになり、一般の間では廃れたとされる。

一方、フィリピン諸島をはじめ広く太平洋の熱帯圏には、古くから入れ墨文化が根付いていた。ピガフェッタも航海記に記録している。セブの最有力首長ラジャ・フマボンの肌には「火でさまざまな模様の入れ墨」が施されていた。モルガも、スペイン人がビサヤ地方の人びとを「ピンタドス（色彩に富む）」と呼ぶと記述し、「有力な男たちが、若い時から体全体に細工をし、決められた場所を針で刺し、血の上から黒い粉を流し込み、一生消えないようにしている」との観察記録を残している。

防寒などのために衣類で体をしっかり防備する必要がない熱帯地方では、裸体はいわば独自の美意識にも基づく「自己表現のキャンバス」なのだ。ところがスペイン統治が進むと、入れ墨は「野蛮な風習」として卑しめられ、廃れていった。しかし、植民地支配が及ばなかった山岳地帯の少数民族などのあいだで伝統は営々と受け継がれてきた。

最近、それが脚光を浴びる出来事があった。アメリカ人の人類学者で写真家のラース・クルタック氏が、ルソン島北部の山岳地帯に暮らすカリンガの人びとにスポットを当てた分厚い写真集『Kalinga』を、二〇一〇年に出版した。近年、欧米人らの間でタトゥーが一種のファッションになり、フィリピンをはじめ東南アジア各地や太平洋諸島の伝統的な入れ墨を、「トライバル・タトゥー」として文化面で再評価する動きが出ている。

少し横道にそれたが、これまで「歴史上の事実」として定着してきた事柄に、改めて光を当て既成概念を疑い検証する意義はあるのではないか。

従来、九州説や近畿説が有力とされてきた邪馬台国。しかし、それがフィリピンだとすれば、卑弥呼は、今流にいえばフィリピーナだったというわけか。

第5章

「マゼラン後」の展開

ガレオン貿易とグローバル化

[扉図版]

スペインのガレオン船(コルネリス・フェルベーク作、1618年。米ワシントンDCナショナルギャラリー蔵)。

スペインによるフィリピン統治を支えたのは、大型帆船ガレオンによる「ガレオン貿易」だった。ガレオン船は、マゼラン船団が使った大航海時代初期の「カラック船」の発展形で、安定性が強化され、積載容量が増し、重武装化が容易になった。

1……順風をつかめ、海流に乗れ

話を少し戻してみよう。香料諸島（モルッカ諸島＝現インドネシアのマルク諸島）をめざしたマゼラン船団が、未知の太平洋を西へと進み、今日のフィリピンを構成する島々にたどり着いたのは偶然だった。しかし、自然界のダイナミズムからすれば、それはまた必然の結果だったともいえるかもしれない。

どういうことか？

想像の域をはるかに超えた広さ

蒸気船が登場する一九世紀までは、風と海流が頼りの帆船時代である。スペインの港サンルーカルを一五一九年九月に出航したマゼラン船団は、大西洋を帆走し、二か月あまりをかけて南米大陸東岸に着くと、「南の海」、つまり今日の太平洋へとつながるルートを探しながら大陸を南下する。だが、そこからが苦闘の連続だった。途中、東岸部での越冬も含め、大陸最南端とフエゴ島を隔てる海峡を抜けて太平洋側に出るのに、さらに約一年を要した。

のちに「マゼラン」の名を残すことになるこの海峡は、幾多の岩礁が立ちはだかる難所で、行ったり来たりを繰り返しながら三八日間を費やしてしまう。

しかもこの間、思わぬ事態に見舞われる。最初に一隻が座礁して使い物にならなくなった。次いで、パタゴニア（現在のアルゼンチン南部）沖で一部の船団員が反乱を起こす。想像以上の難航に不安を募らせ、恐怖が襲う。進むべきか、引き返すべきか。対立のすえ、一隻が脱走する。のちのちまでダメージが尾を引いたのは、脱走したのが船団最大の「サンアントニオ号」（一二〇トン）だったこと。この船には全船団員の食糧の三分の一が積まれていたからだ。

南米大陸の最南端地帯は、南緯五〇度圏に位置する。一帯は、今でも世界の船乗りが最も恐れる海域だ。荒ぶる海の猛威は「咆哮する四〇度」「猛り狂う五〇度」「絶叫する六〇度」と形容される。苦闘のすえに難所を乗り切ったマゼランは、その先の海が「平穏」であることを願って「マール・パシフィコ（太平の海）」と名付けたといわれている。実際、北上して赤道へと近づくにつれ海は穏やかになる。

マゼランは地球をどう認識し、どんな世界地図や海図を使っていたのか？　詳細はわかっていない。ピガフェッタは、海峡越えに挑む場面で、マゼランが「ポルトガルの王室宝蔵庫」で世界誌学者マルティン・ベハイム（一四五九～一五〇七年）が作製した地図を見たことがあると特筆している。ベハイムはポルトガル王につかえたドイツ出身の地理学者で、一四九二年に直径五〇センチの金属製の地球儀をつくった。これは現存する世界最古の地球儀だ。当時の西洋人の世界認識では、ヨーロッパ、アフリカ、アジアの三つの大陸しか存在しなかった。ベハイム地図にもその認識が反映されているが、インド洋までの地形については実態に近づいている。先行したバルトロメウ・ディアスらポルトガルの航海者による遠征の「成果」が取り入れられたのだろう。しかし、そこから先は依然として想像の

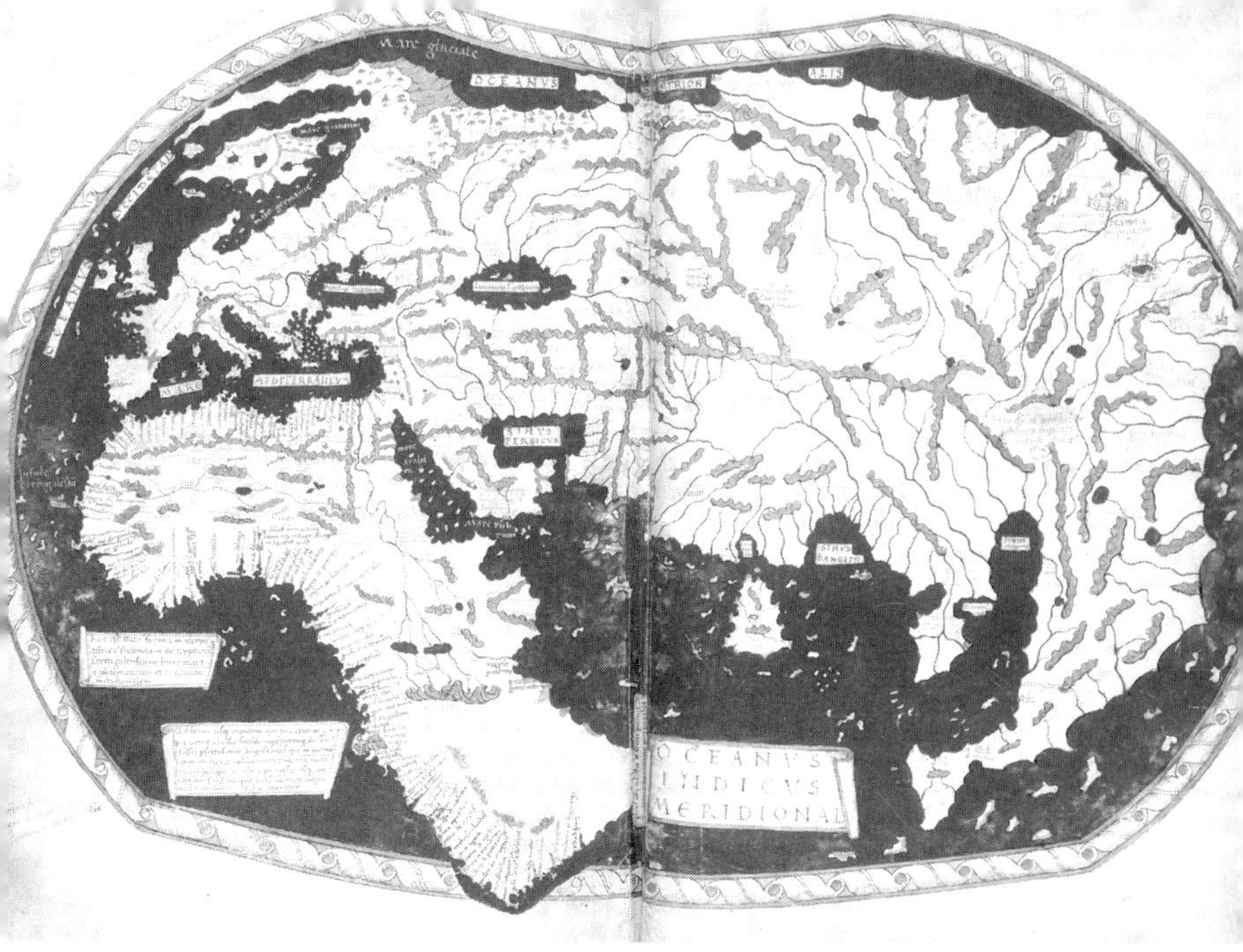

上：ドイツの地図製作者ヘンリックス・マルテルスが、1489年に作成した世界地図（大英図書館蔵）。コロンブスが西インド諸島に上陸したのは1492年であり、アメリカ大陸は描かれていない。
下は、ヴァルトゼーミュラーらが、1507年に作製した、アメリカ大陸が初めて描かれた現存最古の世界地図。左端の細長いのが、アメリカ大陸。

域を出ていない。アジア大陸が東側に大きく張り出しており、南北のアメリカ大陸は想像すらされていない。一四九二年は、コロンブスのカリブ海到達の年だが、まだその情報は反映されていない。ベハイムの地球儀はドイツ・ニュルンベルクのゲルマン国立博物館に保管されている。

アメリカ大陸が初めて描かれた現存最古の世界地図は、やはりドイツ出身の天文学者マルティン・ヴァルトゼーミュラー（一四七〇年ごろ～一五二〇年）らが一五〇七年に作製した。横二四〇センチ、縦一二〇センチの大判だ。木版で一〇〇〇部刷られ、ヨーロッパ各地で販売されたというから、ポルトガル王室の宝蔵庫にも収蔵されていたことが考えられるし、マゼランが見ていた可能性は十分にあり得る。この地図のアメリカ大陸は妙に細長いが、同大陸の出現でアジアとのあいだに「海」の存在が認識された。だが、太平洋やマレー半島以東などアジアの南方の形状は想像の域にとどまっている。アメリカ議会図書館やベルリン国立図書館のサイトで、この世界地図の複製版を自由に閲覧できる。

太平洋を初めて見た西欧人は、記録に残っている限りではスペイン人の探検家バスコ・ヌーニェス・デ・バルボア（一四七五～一五一九年）とされる。ヴァルトゼーミュラー地図ができてから六年後の一五一三年、カリブ海側から陸路でパナマ地峡を越えて西海岸に出て、海が広がっているのも目にした。それから八年後にマゼランが太平洋を航海するのだが、広さは想像をはるかに超えていた。

ついに開けたウルダネタ・ルート

サンアントニオ号の脱走もあって、マゼラン船団はひどい食糧不足に悩まされたが、赤道周辺から北緯一〇度圏に出てからの航海はスムーズだった。香料諸島をめざすなら、本来は赤道帯を西へ直進すべきところだが、なぜか北へ一〇度ほどズレたことで、東から西へ恒常的に吹く貿易風の後押しを受け、同じく西へと流れる北赤道海流が帆船を運んでくれた。行き着いたフィリピンのサマールやレイテの島々は北緯一〇度から一二度圏に位置する。

マゼランがセブを訪れていた当時、太平洋の向こう側では、スペインのコンキスタドール（征服者）として名を上げるエルナン・コルテスの軍勢がメキシコに侵攻し、アステカ帝国を制圧、最終的には一五二一年八月に滅ぼす。以来、スペインは中南米地域を植民地支配下に組み入れていく。

この間もスペイン王室は赤道直下の香料諸島へ向けて、次々と遠征隊を送り込む。当初は南米大陸南端経由の「マゼラン・ルート」しか使えなかったが、メキシコ（ヌエバ・エスパーニャ＝新スペイン）を支配下に置いてからは大西洋側が陸路でつながり、西海岸（北緯一六度）を出帆するルートが確立する。フィリピン諸島へは順風を受けて、約九〇日の航海だった。

ところが、難題があった。香料諸島に到達しても、帰路、ポルトガル勢力圏のインド洋ルートを避けて太平洋を反転するコースで東方へ戻るとなると、向かい風に遭う。次々に遠征隊が派遣されたが、いずれも逆風に阻まれ、メキシコ側に帰り着けなかった。香料諸島の近海や太平洋西部の赤道近海で遭難し、没した。

東へ向けて吹く順風はないのか。

追い風を求めて四〇年あまり。ついに帰路が開ける。マゼラン隊から数えて第六次に当たるミゲル・ロペス・デ・レガスピ隊の分遣隊が、ルートを開拓した。一五六五年、セブに植民地支配の足場を築こうとしていたレガスピの命を受け、修道士で航海士でもあったアンドレス・デ・ウルダネタが率いる分遣隊は南西から吹く季節風をつかみ、太平洋を北上し、黒潮の帯に乗った。日本列島の近海をのぼり続け、北緯三八度圏の牡鹿半島（宮城県）の沖合を経て偏西風をとらえて東へと進む。そこに流れる北太平洋海流で船足が伸び、カリフォルニア半島の沖に達してから南下すると、メキシコ西海岸へと至る。こうしてついに念願の帰路を確立したのだ。

この航路は後年、「ウルダネタ・ルート」の名で知られるようになる。地球の大円に沿った大圏コースで、一五〇日前後の航海だった。距離は往路も復路も約一万三〇〇〇キロメートル。航海日数は、マニラからアカプルコ行きの方が当初二か月ほど長い日数を要したが、太平洋を挟んで東西が結ばれ、陸路で大西洋側に出てヨーロッパ大陸への道がつながった。やがて今日へと続く「グローバル化」の扉が開かれたのだ。この航路開拓は、フィリピンの歴史の展開を決定づけただけでなく、世界史の上でも画期をなす出来事だった。

地球規模で吹く風には、大きく分けると、一年を通してほぼ同方向に吹く恒常風と、夏季と冬季で風向きが変わる季節風（モンスーンはアラビア語由来）がある。恒常風は太平洋の東部など開けた海洋で優越し、季節風はインド洋北部や太平洋西部など主に陸地が近い海域で吹く。

太平洋に出たマゼラン船団がつかんだのは、貿易風だった。赤道を挟んだ南北の亜熱帯高圧域で優越する恒常風である。これは地球の自転による効果がもたらす現象で、南半球だと南回帰線付近の南東方向から赤道寄りに北西へと吹き、北半球では北回帰線周辺の北東から南西へと吹く。

一方、ウルダネタがつかまえたのが偏西風だ。南北の緯度が四五度前後を西から東へと吹いている恒常風だ。この風は南半球なら北東寄りに、北半球だと南東方向に吹き続けている。

北半球では時計回りの流れ

では、海流はどうなっているのか。貿易風や偏西風に、地球の自転による力が加わって起こる海水

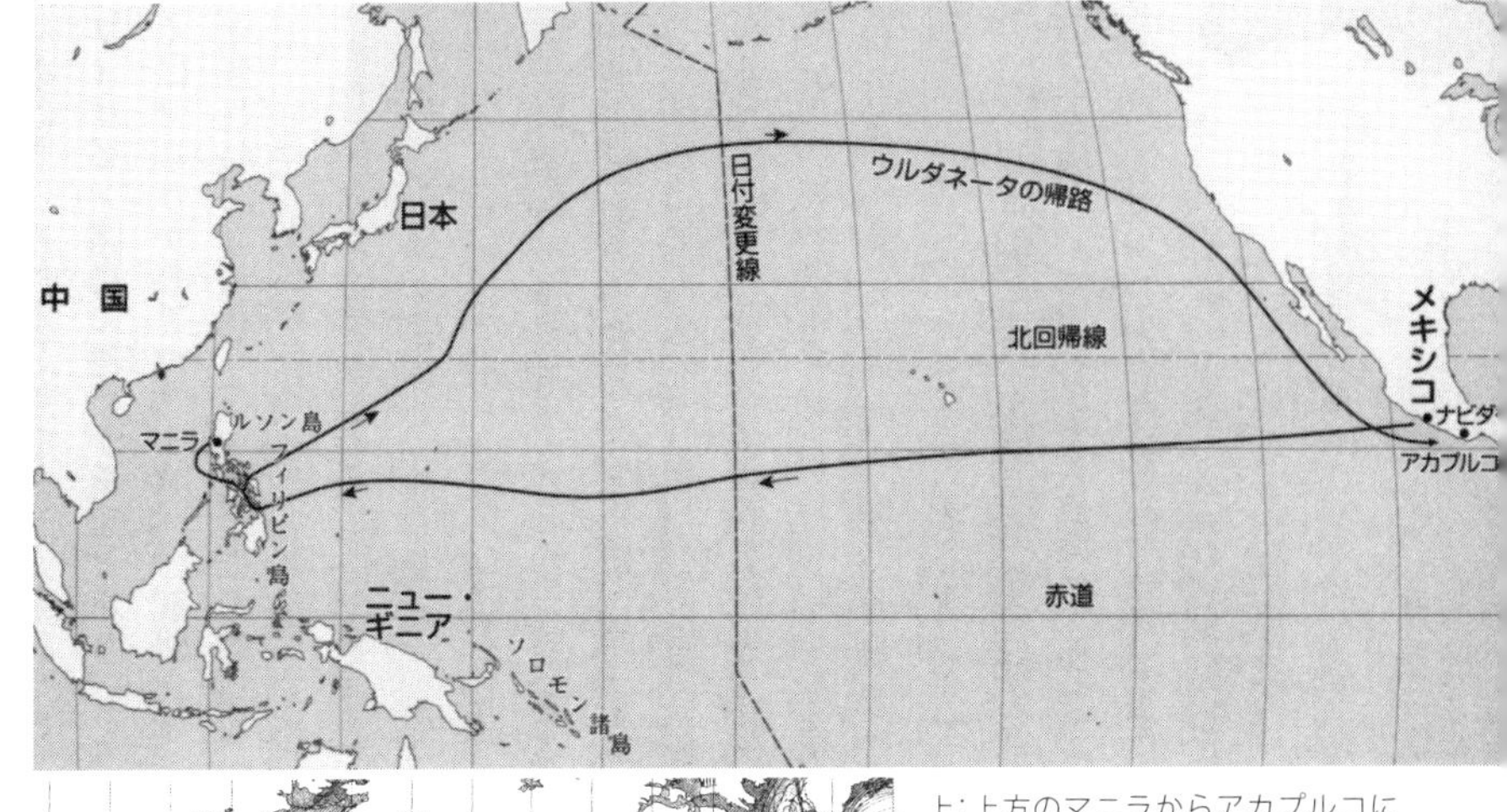

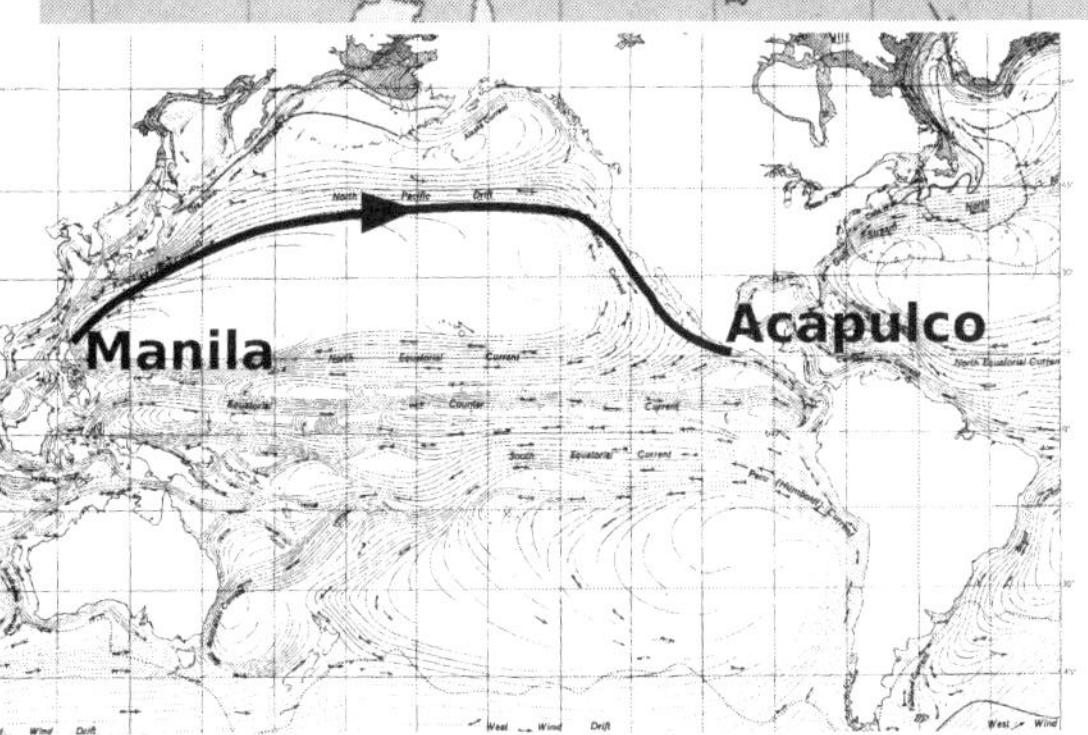

上：上方のマニラからアカプルコに向かう太平洋横断の航路が「ウルダネタ・ルート」（『図説 大航海時代』増田義郎著より）。
左：「ウルダネタ・ルート」と海流の関係。

左下：修道士で航海士でもあったウルダネタの肖像。
右下：、マゼラン隊から数えて第６次に当たる遠征隊を率いたレガスピの肖像（セブの博物館で著者撮影）。

の運動が海流の正体である。世界中の海洋で共通するのだが、流れは北半球では時計回りになり、南半球だと反時計回りになる。つまり、太平洋の北半球熱帯域では貿易風と地球の自転の影響を受けた北赤道海流が東から西へ向かう。西端のフィリピン沖で反転し、北上する黒潮へとつながり、その先で東へと流れる北太平洋海流に吸収されていく。

二〇一八年二月に、こんなハプニングがあった。アメリカ・ハワイのオアフ島は「サーファーの聖地」だ。ノースショアが有名だが、特にビッグウェーブで名高いワイメア湾（北緯二一度）で、地元の青年がサーフボードを流してしまった。ところが半年後、約八〇〇〇キロメートル離れたフィリピン・ミンダナオ島中央部南端のサランガニ沖（北緯五度）に、そのサーフボードが漂着する。「マゼラン・ルート」をたどったかのようだ。漁民が見つけた。近くの小学校教師が譲り受け、写真をパソコンでウェブにアップすると、二年後、持ち主の青年の目にとまった。あきらめていた愛用ボードとの「再会」を果たす。自然界のダイナミズムと二一世紀のハイテクが、劇的な結末へと導いたのだ。ハワイの新聞が、このニュースを伝えた。

東日本大震災（二〇一一年三月）で東北沿岸から流出した漁具などが、数年の歳月を経て北米大陸の西海岸に流れ着く。波間を、ざっと七〇〇〇キロメートル。こちらはウルダネタ・ルートの漂流である。

「名も知らぬ遠き島より……」の歌。明治三一（一八九八）年、のちに民俗学者として名を馳せる柳田國男（一八七五～一九六二年）が、学生時代の夏休みに訪れた愛知県渥美半島の伊良湖岬で、浜辺に打ち寄せられたヤシの実を見つけ、親友の島崎藤村（一八七二～一九四三年）が詩に書いた。あのヤシの実は、故郷フィリピンの岸を離れて黒潮に身をゆだねたのかもしれない。

2……ガレオン船航路は「絹の道」「銀の道」

フィリピンは、世界に冠たる船員派遣大国だ。「先進諸国の海運業はフィリピン人船員なしでは成り立たない」とまでいわれている。ロンドンに本部がある国際運輸労連（ITF）の二〇一八年の調べだと、世界の商船の乗組員は総計一六〇万人を数えるが、このうちフィリピン人が約四〇万人で二五％を占める。特に日本海運界のフィリピン人船員への依存率は、七〇％にのぼる。

北上するイスラームの波を押し戻す

ルーツをたどると、スペインによる植民地統治時代に行きあたる。植民地化は一五六五年、レガスピがセブに拠点を置くことで始まった。メキシコとの往復航路が開けたからだ。しかし、マゼランが足跡を印したセブに植民地経営の拠点を置くとなると、後背地が狭く、十分な食料の確保に難があった。加えて、南方海域で影響力を拡大するポルトガル勢やイスラーム教徒の襲撃にさらされるなど、スペイン陣営からすれば不安要素が多すぎた。

レガスピは条件のいい土地を求め、パナイ島やミンドロ島を経由して北上し、ついにマニラに行き着く。自然の良港、広い後背地などが決め手になった。マゼラン到達から五〇年後の一五七一年だった。

だが、地元民が異邦人支配を唯々諾々と受け入れたわけでは、もちろんない。当時のマニラは、ラジャ・スレイマン、ラジャ・マタンダ、ラカン・ドゥラを名乗る三人の有力首長が割拠していた。スレイマンら一部はすでにイスラーム化しており、ボルネオ島の「港市国家」ブルネイ王国のスルタンと姻戚関係を結ぶなどして勢力基盤を広げていた。港市国家とは、海岸や河川に面した海上交通の要所に形成された「港市」を核に、周辺海域と交易のネットワークで結ばれた国家だ。いわゆる「近代」以前の東南アジアなど各地に出現した。

スペインは、先遣隊を送り込んでマニラ攻略の方策を探った。対するマニラの側は強気の構えで対応する。作戦を練り直したスペイン側は翌年、レガスピが率いる大軍を送り込む。スペイン兵は二八〇人足らずだったが、セブなどビサヤ地方の住民六〇〇人あまりを徴用し、いわば「傭兵」に仕立てて侵攻した。マニラの首長間の利害対立などにつけ込んで勢力を分断し、懐柔し、ねじ伏せ、二年越しの攻略で支配下に入れた。

カトリックが旗印のスペインによるマニラ攻略で、北上しつつあったイスラーム化の波は南へと押し戻される。スペインの侵攻があと五〇年遅かったら、この地域は今日のインドネシアやマレーシアと同じくイスラーム勢力が支配的になった可能性がある。日本は室町幕府の滅亡（一五七三年）を経て、織田信長、そして豊臣秀吉の世へと続く戦国末期に入っていた時代のことだ。

「右手に剣、左手にバイブル」「政教一致の体制」――一九世紀末まで続くスペイン統治を要約する言葉だが、それを支えたのがガレオン貿易だった。マニラ（北緯一四度三六分）とメキシコ西岸の港町アカプルコ（同一六度五二分）を結ぶ航路を、三本ないし四本マストの大型帆船が往復した。「ガレオン」と称される船種が主体だったことから、ガレオン貿易と呼ばれるようになった。ガレオン船はマゼラン船団が使った大航海時代初期に活躍したカラック船の発展形で、一六世紀半ばから一八世紀にかけて外洋船の主役になる。安定性が強化され、積載容量が増し、重武装化が容易になった（本章の扉図版を参照)。

マニラは、すでに環南シナ海交易ネットワークに連なり、マレー人や中国人の商人が出入りする要衝になっていた。スペイン統治初期の行政官モルガの『フィリピン諸島誌』によると、日本人も一五七一年時点で二〇人がマニラに居住していた。

中継貿易は二五〇年続いた

スペイン当局がマニラで目をつけたのが、中国南部の福建商人が持ってくる品々だった。こんな逸話が残っている。レガスピ隊がマニラ攻略の途上、沖合で難破しかけていた中国人の船を救助すると、積み荷に良質の絹製品があった。レガスピ隊の目利きが、商売になると見込んだという。福建商人はすかさず、マニラのスペイン人社会のニーズに応える日用品を運んでくる。同時に、メキシコに向けた交易品も持ち込んできた。

こうして中国産の生糸や絹織物が、ガレオン貿易の主力商品になる。スペイン支配下の「新大陸アメリカ」やヨーロッパ市場で需要が高かった。アカプルコから陸路で六五〇キロあまり離れたメキシコ湾側の港町ベラクルスに運び、大西洋を越えてイベリア半島へと輸送した。絹製品はスペイン本国のアンダルシアやセビリアの産業と競合することがあったため、摩擦も生んだが、格段に安価で高品質だった中国製品は人気があった。ほかには、中国の陶磁器や家具など工芸品、近隣地域からの香辛料や象牙、獣皮、蜜蝋といった珍品に加え、後年になるとインド産の綿織物などにも引きがあった。一時は、日本の漆器や屏風、刀剣など武具類も積み荷に加えられた。それでも中国製品が大半だったから、メキシコではガレオン船は「ナオ・デ・チナ(中国の船)」とも呼ばれた。

一方、アカプルコからマニラへは主に銀貨や銀塊、銀の延べ板などを運んだ。新大陸では、ちょうど一六世紀半ばメキシコ中部のサカテカス銀山やペルーのポトシ銀山（現ボリビア）の開発で沸いていた。銀は、明代から清代（特に一六〜一八世紀）にかけて経済規模が拡大する中国では通貨などとして需要が著しかった。この需給の一致が、太平洋を挟んだ東西間の遠隔通商関係を急速に進展させたのだ。ただ、当時の中国にとっては新大陸からの物産で銀以外に欲しいモノがほとんどなかった。ヨーロッパの産品も、ニーズがあったのはワインやオリーブ油といった品々ぐらいだった。

太平洋は海上の「絹の道」になり、「銀の道」になった。ガレオン貿易はつまり、マニラをハブに、福建とアカプルコを結び、中国と新大陸とをつなぐ中継貿易で、東アジア交易圏が大西洋交易圏へと連なるグローバル事業だった。おおむね年に一往復したガレオン貿易は、一五六五年にルソン島南部のビコール地方産シナモンなどを積んだウルダネタ分遣隊が、セブからメキシコに行き着いたのを初発とする。盛衰はあったが、メキシコの独立戦争勃発後の一八一五年まで二五〇年間続いた。途中から、オランダやイギリスが割り込むなどして、スペインの独占貿易体制は徐々に崩れていく。

歴史書によると、一六世紀末から一七世紀初頭の金と銀との交換比率は、スペイン圏を中心にしたヨーロッパで約一対一二だった。ペルシャやインドでは一対一〇から一対八。しかし、中国圏は世界中で銀の価値が相対的に最も高く、一対七ないし一対六にはね上がる。日本の石見銀山（島根県）も、一六世紀前半から開発が進み、国際市場に参入した。銀は東洋貿易の決済通貨になり、アジア各地で流通する。しかし、一七世紀後半になると銀の流通過剰も招き、以後、金銀の比価は各地で次第に平準化していった。

スペインのフィリピン植民地経営は当初、財政的に苦しかった。本国からは遠いし、人口規模は小

3本マストの大型帆船「ガレオン船」の模型（フィリピン国立博物館の展示）。

下左：現在の「フィリピン地図の原型」とされる「ベラルデ地図」。イエズス会士のムリリョ・ベラルデが、1734年にマニラで初版を発行。写真は、その第２版（1744年にマニラで発行）の複製（著者所有）。
下右；マニラのメキシコ・プラザに建つ「マニラーアカプルコ・ガレオン貿易」の記念碑（著者撮影）。

さく、希求する香辛料もなかった。財政赤字を抱え、スペイン当局はメキシコ副王領に資金を補填してもらっていたほどで、一時はフィリピン放棄論まで出ていた。

だが、ガレオン貿易が軌道に乗り出すと、状況は一転する。絹の道、銀の道が財貨をもたらした。ガレオン貿易はマニラに駐在するスペイン人の独占的な特権で、貿易商と行政官や軍人の幹部、聖職者らが担った。利潤が大きかったこともあって、スペイン当局はガレオン貿易以外に関心を向けず、地方開発にはほとんど手をつけなかった。

うま味のある中継貿易は汚職の温床にもなった。荷を積むコンテナの割り当てなどをめぐって賄賂が横行する。船底に「勘定外」のコンテナをこっそりもぐりこませることも珍しくなかったらしい。荷の積み過ぎがしばしば航行を脅かした。ガレオン船の便数を無理やり増発したこともあった。

グローバル化の嚆矢

船は総計で約一一〇隻が使われたが、三〇隻以上が沈没したとされる。このうち、少なくとも二六隻が過積載による難破だったという。海賊にも狙われたし、暴風雨にも遭った。

日本の近海で海が荒れ、こんな「事件」も起きた。一五九六年、マニラからアカプルコに向かっていたガレオン船「サンフェリペ号」（約一〇〇〇トン、乗組員二三〇人あまり）が東シナ海で暴風雨に襲われ、過積載も祟って航行不能になり、土佐の浦戸浜に漂着した。地元当局が積み荷を没収すると、乗組員の一部が憤り、世界地図を取り出して、スペインは広大な領土を持つ国で、日本がいかに小国かをとうとうと説き、スペイン国王はまずキリスト教の宣教師を海外に送り込んで、布教とともに領土征服の事業を進めるのだと息巻いたという。

この自慢話が豊臣秀吉の耳に届く。秀吉はスペインによる日本征服の疑いを深め、京都や大坂に来ていたスペイン人宣教師らを追放し、長崎で日本人信徒を含む宣教師ら二六人を処刑した。キリスト教布教への警戒心は、豊臣から徳川へと受け継がれ、後年、幕府による対外封鎖（鎖国）体制へと向かう遠因の一つになった。

太平洋を横断するガレオン船は五〇〇トンから一〇〇〇トンが一般的だったが、時代とともに大型化する。二〇〇〇トン級の船もできた。大半はマニラ南方の港町カビテなどで建造された。フィリピン特産の硬質木材のモラベが使われ、帆布やロープにはアバカが用いられた。アバカは芭蕉科の植物で、その葉脈繊維は太くて堅く、風雨など湿気に強いから索具に適していた。後年、積出港の名を冠した「マニラ麻」として世界的に知られるようになる。

ガレオン船の建造、資材の拠出、労力などは、いずれもスペイン植民地行政当局による課税の一端だった。中国からも船大工が入ってきた。

一回の航海に二〇〇人から時には六〇〇人が乗り組んだ。船員の三分の二は、当局に徴用されたフィリピンやメキシコの住民だった。海賊対策に大砲を備え、武装兵士も乗せた。船乗りは危険と隣り合わせの長距離航海で鍛えられた。

太平洋と大西洋。アジア大陸とアメリカ大陸、そしてヨーロッパ大陸。二つの大洋と三つの大陸を結んで二五〇年。「グローバル化」の嚆矢ともいえるガレオン貿易の航路を「世界文化遺産」に――。フィリピンとメキシコは二〇一五年以来、スペインにも働きかけて共同でこの航路のユネスコ登録運動を展開している。

ガレオン船が運んだのは絹や銀の交易品だけではなかった。意外なモノも行き交った。

3……ヒト・モノ・文化が行き交う

メキシコの港町アカプルコをはじめ、太平洋岸のコリマ地方などを歩くと、そこかしこで地元産と銘打ったヤシ酒が売られているのに気づく。製法はその昔、マニラからガレオン船で伝えられたのだという。名称も、フィリピンでの呼び名と同じ「トゥバ」。五〇〇年前、セブなどの住民がマゼラン船団員に振る舞ったのも、トゥバだったに違いない。

ヤシの花穂（かすい）の先を切り、樹液を竹筒やひょうたんに採る。今はプラスチック容器が広く使われるようになったが、容器に溜まった樹液は糖分を含んでいて、すぐに発酵し始める。それがトゥバだ。味は好みに合わせ、二日から四日ほど寝かせてから飲む。微妙に味が変わるので、タイミングが肝心。アルコール分はビール程度の五％前後になる。トゥバの蒸留酒が「ランバノグ」で、アラビア語風に「アラク」とも呼ばれるが、この製法もメキシコ特産のテキーラに影響を与えたといわれる。

サツマイモやタバコが来た道

マニラとアカプルコを結ぶガレオン貿易は、ヒト、モノ、言葉、文化も運んだ。

メキシコからは、各種の野菜や果物が持ち込まれた。カカオ、アボカド、カマティス（トマト）などだ。サツマイモのルーツとされる「カモテ」は、メキシコなど中南米の原産で、ガレオン船でマニラにもたらされた。フィリピンでは、今もそのまま「カモテ」と呼ばれている。マニラからは福建商人が中国大陸に運び、琉球・薩摩へと伝わったとされる。こうしてカモテは日本で「カライモ」になり、「リュウキュウイモ」になり、「サツマイモ」になった。一六世紀末から一七世紀にかけてのことだ。蘭学者の青木昆陽（一六九八～一七六九年）が全国に広めたといわれる。

いやいや、カモテは中米からヨーロッパに持ち込まれ、中国へと伝わったとか、南太平洋に流れ着いた種が各地に広がったといった諸説がある。それもこれも、このイモが世界中で人びとの空腹を満たす「価値ある食材」になったがゆえに生まれた説なのかもしれない。

後年、フィリピンの主要商品作物の一つになるタバコもガレオン船が運んできた。記録によると、一五九二年、キューバ産のタバコの種子約五〇キロがマニラに持ち込まれる。キューバの産地と気候が似ているルソン島北部のカガヤン渓谷で最初に栽培が始まった。徐々にフィリピン諸島の各地へと広まったが、今日でも栽培の中心地はルソン島北部だ。

フィリピン人の朝食の定番に、「チャンポラード」がある。カカオからつくるチョコレートを混ぜて、お粥風にしたごはんだ。これもルーツを探るとメキシコにたどり着く。甘いので、おかずに干し魚を添えたりする。子どもには、「メリエンダ（おやつ）」として昔からの人気メニューである。フィリピンのカカオ生産の中心地は現在、ミンダナオのダバオ地方だ。中米のもともとの「カカオ地帯」は赤道の北一〇度から一五度圏に位置しており、太平洋を挟んで同じ緯度帯にあるフィリピン南部は気候風土がカカオ栽培に適している。

スペインはアメリカ大陸の植民地に国王の代理として「副王」を置き、最終的にはメキシコやペルーなど計四つの「副王領」を設けた。フィリピンは一九世紀前半まで、事実上、メキシコ副王領に組み込まれていた。フィリピンに持ち込まれた「スペイン文化」は、多くがメキシコ経由だったのである。もっとさかのぼれば、スペイン文化そのものが八世紀以来、アフリカ大陸北部からイベリア半島に侵攻したアラブ・イスラーム文化の影響を色濃く受け、それを引きずってきた。たとえば、今ではスペインの国民食ともいわれる「パエリア」は、もとはアラブ人が稲作と一緒に持ち込んだ料理にルーツがある。

イベリア半島からイスラーム勢力を駆逐した「レコンキスタ（国土回復）」が完結するのは一五世紀末だが、スペインはこの約七八〇年間、アラブ・イスラーム勢力の支配下にあったのだ。当然ながら、言葉も数多く入り込む。専門家は、スペイン語の単語の約一〇％がアラビア語由来とみている。そうした背景を持つスペイン語が、文化とともにメキシコ経由でフィリピンに伝えられた。

多くのスペイン人が移住したメキシコなどのアメリカ大陸と違って、フィリピンではスペイン語は広まらなかった。宣教師たちは現地の言葉を覚えて布教活動を展開したからだが、それでもスペイン語の単語は数多く採り入れられた。今日のフィリピン語で、日常的に使われる言葉には、アラビア語を含むスペイン語由来の単語が三〇％ほど含まれているといわれている。

フィリピンに二〇一三年から一七年まで駐在したメキシコのフリオ・カマレナ元大使によると、スペイン語由来の単語には、メキシコを中心にしたアステカ語族最大の言語であるナワトル語にルーツを持つ言葉が少なくない。カカオ、チョコレート（スペイン語でチョコラーテ）をはじめ、パレンケ（市場）、パルパロ（蝶々）などがそうだという。元大使は、フィリピン語の「タタイ（父）」「ナナイ（母）」も、もとは「タタ」「ナナ」で、ナワトル語由来ではないかとの見方を提示した。

「マニラメン」とラフカディオ・ハーン

ガレオン船はマニラとアカプルコのあいだを、年におおむね一往復した。マニラからは四、五か月、アカプルコからは三か月ほどを要した航海だが、入港から出航までのあいだは荷の積み下ろしや船の補修などで少なくとも数か月間、その地にとどまることになる。だが、危険な長旅や苦役を嫌い、マニラで逃亡し定住したメキシコなどアメリカ大陸出身の船乗りもいた。ほぼ全員が男性だったから、多くはフィリピンの女性と結ばれ家族をつくり、コミュニティに溶け込んでいった。

一方、アカプルコで船を降り、姿を消したフィリピン人も少なくなかったようだ。現地を調査したフィリピン人の研究者フローロ・マルシーン氏によると、メキシコ太平洋岸のオアハカ地方などには「マガンダ（Maganda）」という姓を受け継ぐ家族がいて、それぞれ「フィリピン人の末裔」と言い伝えられてきたという。マガンダは、フィリピンの言葉で「美しい」を意味する。

メキシコ副王領の領域だった現在の米ルイジアナ州ニューオーリンズには、こんな例もあった。セント・マロという名の湖畔に一八世紀半ばごろからフィリピン出身者が住みつき、高床式の家を建て、漁業などで代々一〇〇年あまりにわたってひっそり暮らしていた。ジャーナリストで、のちに作家「小泉八雲」を名乗るラフカディオ・ハーン（一八五〇〜一九〇四年）がその集落を取材して、彼らを「マニラメン」と呼び、アメリカの雑誌『Harper's Weekly』（一八八三年三月三一日号）にルポを書いた。当時はまだ「フィリピン」の名称が定着しておらず、「マニラから来た人たち」という意味で「マニラメン」という呼び名が使われていたという。

メキシコ少年たちがワクチンを運ぶ

天然痘などの感染症も、フィリピンに伝わった。

アメリカ大陸では一六世紀前半、スペインの侵略でアステカ（メキシコ）やインカ（ペルー）の帝国が滅亡する。主にイベリア半島からの入植者たちが持ち込んだ感染症が広がり、免疫を持たない内陸の先住民が続々と倒れ、短期間に人口が激減した事実が知られている。

フィリピンの場合は、住民がバタバタと亡くなるようなパンデミックは起きなかったようだ。フィリピン諸島の一部はすでに近隣海域の交易ネットワークを通じてアジア大陸などとも連結していたから、さまざまな感染症の免疫がある程度できていたのではないかとみる研究者がいる。それでも、フィリピン国家歴史委員会（NHCP）がスペイン統治当局の史料などをもとにまとめたレポートによると、天然痘などの感染症は諸島の各地で断続的に発生した。

一八世紀末、イギリスの博物学者で医師でもあったエドワード・ジェンナーが、天然痘の予防法を開発する。牛が感染する牛痘の膿を使った種痘による予防法だ。弱毒で比較的安全な牛痘苗を皮膚に植え付けて抗体を得る。スペインは一八〇五年、これを導入し、メキシコから痘苗をフィリピンにも運んだ。メキシコの少年二六人をガレオン船に乗せ、順繰りに彼らの腕に接種し、一〇日前後のリレー方式で種苗を保存して約三か月の航海を乗り切った、という話が残っている。任務を果たした少年たちは二年後の一八〇七年、メキシコに戻った。

日本にも同じ方法でオランダから長崎に牛痘苗が搬入され、江戸へと運ばれた史実がある。それは一八四九年のこと。牛痘苗の到着は、マニラの方が日本より半世紀近く早かった。

マニラ近郊のモンテンルパ市アラバン地区に、熱帯医学研究所（RITM）がある。その敷地内にメキシコ少年によるワクチン運搬に感謝する歴史マーカーが据えられている。NHCPが二〇〇四年に設置した。改めて歴史を掘り起こし、ガレオン貿易の航路を通じたメキシコとの友好関係に光を当てる事業の一環だった。

フィリピンで受け継がれているガレオン・レガシーは、ほかにもある。

マニラ首都圏アンティポーロの小高い丘に立つ教会に、メキシコから運ばれた聖母マリアの木像が鎮座している（左図を参照）。太平洋を六回往復したという航海の「守り神」だ。近年は海外就労に出る人やバリクバヤン（帰郷者）の参拝者でもにぎわう。時代を超え、ガレオン船の聖母像は「安全と繁栄」を祈願する対象として崇められている。

4……ラス・イスラス・フェリペナス

ルソン島北端の小さな港町アパリから、ミンダナオ島中南部のダバオまで、フィリピンを縦貫するハイウェーがある。一九六〇年代の着工で、日本による最初の円借款事業としてつくられ「日比友好

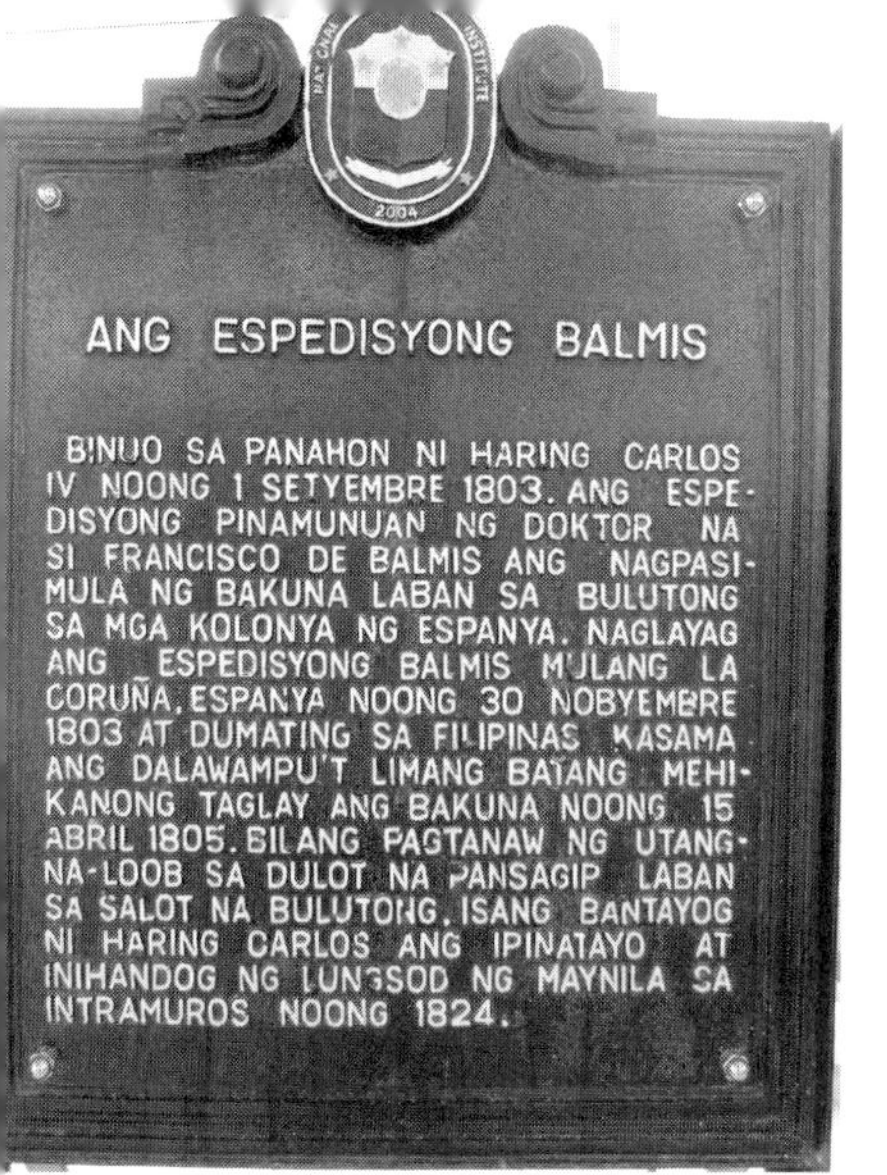

上：スペインは1805年、種痘を導入し、メキシコから痘苗をフィリピンにも運んだ。メキシコの少年26人をガレオン船に乗せ、順繰りに彼らの腕に接種し、10日前後のリレー方式で種苗を保存して約３か月の航海を乗り切った。メキシコ少年への感謝の歴史マーカー。（著者撮影）
下：アンティポーロの教会にある「平和と良き航海の聖母」。1626 年、メキシコからフィリピンにもたらされ、マニラーアカプルコ間を、ガレオン船で六回も航海したとされる。同国で最も有名なマリア像の一つで、ホセ・リサールも著書で言及している。

道路」と呼ばれている。全長約二一〇〇キロメートルの大動脈だ。私は一九八〇年代の半ばに、この街道をバスとフェリーを乗り継いで通り抜けたことがある。ただ移動するだけなら、四日か五日で行ける。三五年ほど経った今でも旅程はあまり変わっていない。この道路は現在、ミンダナオ島を横断する形で西端の要衝サンボアンガまで延びている。

「東方諸島」は「西方諸島」だった

南北縦貫道のほぼ中間のビサヤ地方に位置するのが、サンベルナルディーノ海峡だ。北緯一二度三五分一五秒、東経一二四度一一分四八秒。ルソン島南端のビコール半島とビサヤ地方のサマール島に挟まれ、太平洋とフィリピン中央部の内海をつなぐ〝海の細道〟である。長さは四四キロメートル、幅は最狭部が八キロメートル。今はフェリーが海峡を行き来しているが、かつてはガレオン船が通るウルダネタ・ルート上の水路だった。海峡の出入り口周辺にはいくつも小島があり、気まぐれな潮流をぬって帆船を操縦するには大胆かつ細心の舵さばきが求められた。アカプルコからフィリピンに行くには、ほぼ直線コースで好都合だったが、マニラからアカプルコに向かうガレオン船は、次第に難所の海峡ルートを避け、ルソン島西岸の南シナ海を北上するコースをとるようになる。

マゼラン船団のフィリピン到達後、スペインは香料諸島（現インドネシアのマルク諸島など）に向けて数次にわたる遠征隊を送り込むが、その過程で一五四三年、海洋探検家ルイ・ロペス・デ・ビリャロボス（一五〇〇年ごろ～四四年）が指揮する遠征隊が、サマール島やミンダナオ島北東部のブトゥアンなどに寄港する。スペインが初めて拠点を設ける目的で訪れたのが、この時だった。

日本に目を向けると、一五四三年は、現在の鹿児島県の種子島に鉄砲が伝わった年である。定説によると、同島に漂着したのは中国人の密貿易商、王直（ワン・チー）のジャンク船で、鉄砲を携えたポルトガル人が乗っていた。火縄銃だった。島の領主、種子島時尭（ときたか）が二丁を高額で買い取った。今日の価格で数千万円相当の銀を支払ったとする説がある。時尭はこの時、一六歳だったというから豪胆だ。

「鉄砲はいい商売になる」とみたポルトガル人が、のちに何丁もの銃を持ってやってくるが、日本はいち早く国産化して量産体制に入っていた、というオチがついた話が残っている。いずれにしても、ポルトガルはすでにインドのゴアやマレー半島のマラッカに交易の足場を築いており、東シナ海の周辺諸島にも出没し始めていたのだ。

では、スペインは、なぜ目標をフィリピン諸島での拠点づくりにシフトさせたのか？

ここで、思い出していただきたい。もともとスペインは、イベリア半島から東回りで香料諸島をめざしたポルトガルに対抗し、西回りによる同諸島への侵出をはかる。両国の王室はローマ教皇の権威を後ろ盾に、地球を分割支配する境界画定「デマルカシオン」を企てた。最初に設定した境界線が一四九三年の教皇子午線だ。翌一四九四年にトルデシリャス条約で位置を修正。その後、情報の蓄積を得て、同じくスペインのサラゴサで条約を結び直し、境界線を改定したのは一五二九年になってからだった。

イベリア半島から見れば、「地球の反対側」に当たる香料諸島周辺の地理情報は乏しく、当初は漠然としかわかっていなかった。ポルトガルは一帯を「イーリャス・オリエンタル（東方諸島）」と呼び、スペインは「イスラス・デル・ポニエンテ（西方諸島）」と称した。徐々に地理の輪郭が浮かび上がってきたものの、なお判然としなかった。トルデシリャス条約では決めきれていなかった地球の反対側の境界線を、サラゴサ条約で画定したのだ。今日の東経一四四度三〇分の子午線で、北海道や南半球のニューギニア島を通る。実際にはプラス・マイナス四度のズレがあったとされるが、どちらにしても、ポルトガルの勢力圏はインド洋から西太平洋まで含み、香料諸島（東経一二七度）はもとより、東経一二四度圏のサンベルナルディーノ海峡も入ることが明確になった。

フェリペ皇子の島々

ところが、スペイン王室は政治力で強引に押し切る。香料諸島については先行したポルトガル勢の浸透が進んでいたが、スペインは同諸島から「手を引く」として、ポルトガルから「賠償金」まで受け取った。さらに、サンベルナルディーノ海峡周辺の北緯一〇度から一二度圏の諸島は、マゼランが「発見した」との主張を盾に先占をふりかざし、これをポルトガルに認めさせたのだった。

そこが今日のサマールやレイテなどの島々である。当時、地元ではサマール島を「タンダヤ」、レイテ島を「アブヨ」などと呼んでいたようだ。だが、ビリャロボス隊は一五四三年、いわば勝手に「ラス・イスラス・フェリペナス（フェリペの島々）」と名付けた。当時のスペイン皇子で、のちに国王の座に就くフェリペⅡ世にちなむ命名だった。これがのちの「フィリピン諸島」のネーミングの起源である。一五六五年のレガスピ隊の侵攻でスペインによる統治が始まり、植民地化が進むにつれて「フェリペ皇子の島々」の領域は広がっていく。一帯はやがて、グアムなど太平洋西部の諸島を勢力圏に入れた「スペイン領東インド」を形成する。

スペインは、スパイスの獲得をあきらめたわけではなかった。フィリピンを足場に、香料諸島との交易も狙った。同時にガレオン船による中継貿易を維持しながら、キリスト教の布教先を中国や日本に広げる野心を抱いていた。

ところが、一七世紀になると、香料諸島はポルトガルからオランダの手に渡る。その後、スパイスの苗木はフランスなどによってカリブ海やアフリカ東海岸沖に持ち出され、移植や栽培技術も進むと希少価値が薄れていく。キリスト教の布教先拡大の企ても、日本の対外封鎖（いわゆる「鎖国」）政策などに阻まれてしまい、アジアではフィリピン以外はうまくいかなかった。

「フィリピン」という国名のルーツとなったフェリペⅡ世は一五二七年生まれ。父は、マゼラン船団を派遣したカルロスⅠ世で、「カールⅤ世」として神聖ローマ帝国の皇帝をかねる国王だった。母は、ポルトガル国王マヌエルⅠ世の娘イサベルだ。

いわば「名門中の名門」の出だったフェリペ皇子は、カルロスⅠ世の退位にともない、二八歳で一五五六年に王座に就く。生涯に四度結婚するが、いずれも妃に先立たれた。最初の結婚は一六歳の皇子時代で、相手はポルトガル国王ジョアンⅢ世の王女マリア・マヌエラ。彼女も同じく一六歳だったが、二年後に病死してしまう。四人目の王妃は結婚後一〇年で死没する。フェリペⅡ世は、その後は独身のまま、一五九八年に七一歳で死去するまで王権を握り続けた。

無敵ではなかった「無敵艦隊」

一五六一年に宮廷をマドリードに定め、首都としたのもフェリペⅡ世だった。父から継承したネーデルラント（現在のオランダ、ベルギー、ルクセンブルク、フランス北東部）やナポリ、シチリア、アメリカ大陸の一部、そしてフィリピンなどを支配下に置く。さらに、ポルトガルの王統が途絶えた二年後の一五八〇年には、母方の血族で王の従兄弟だったことから同国王をかね、スペインはポルトガルをのみ込む形で併合した。この「同君連合体制」は息子のフェリペⅢ世に引き継がれ、一六四〇年まで続く。こうして支配領域を世界各地に広げて権勢を誇り、「太陽の沈まぬ帝国」と形容されるほど広大なスペイン帝国の絶頂期に君臨する。

国王フェリペⅡ世はカトリックの熱心な守護者だった。その半面、プロテスタントも含めて「異教」には残虐に対応したことでも知られる。後述するが、日本とも少なからぬ関係を持った君主で、豊臣秀吉（一五三七?～九八年）とは一〇歳ほど年上の同時代人だった。両者が世を去ったのは、奇しくも同じ年だ（第6章・3節でも触れる）。

フェリペⅡ世のスペインは、強大な海軍力を維持していた。フィリピン統治の本拠をマニラに置いた一五七一年（マニラを正式にスペイン領東インドの「首都」と定めたのは一五九五年の国王による勅命）、地中海ではスペイン艦隊がギリシャ・コリント湾のレパントの海戦で勝利する。ローマ教皇やベネツィア軍とキリスト教連合を組み、当時「最強」を誇ったオスマン帝国艦隊を破ったのだ。

「無敵」の名声轟くスペイン艦隊は、しかし、一七年後の一五八八年に英仏海峡の戦いでイギリス海軍に大敗してしまう。戦いのあとにイギリス人は一流の皮肉を込めて、同艦隊を「インビンシブル・アルマダ（無敵艦隊）」と呼び、それを撃退した自国軍の優秀さを強調してみせた。「超大国」スペインにとってこの敗北は、その後の衰退を暗示する屈辱的な出来事だった。

一六世紀の半ばから一七世紀にかけて、スペインのフィリピン植民地統治が進む中、本国の屋台骨はゆっくり、そして確実に傾いていく。アメリカ大陸やフィリピン諸島の獲得に浮かれ、スペイン国内の産業育成は等閑視された。植民地から吸い上げた富は宮廷の贅沢に浪費され、新たに海洋国家として台頭したイギリスやオランダとの争いなどにもつぎ込まれ、雲散霧消する。

5……「フィリピーノ」の誕生

フィリピンでは時折、国の名前を変えようという論議が持ち上がる。国民のあいだから要望が湧き上がるからではない。「愛国心」や「ナショナリズム」を強調することで人気取りを狙う政治指導者が、国名変更を言い出すケースが多い。

最近では二〇一九年、ドゥテルテ大統領が「『マハルリカ（Maharlika）』は、いい名前だ」とぶち上げた。これは一九七六年に、当時のマルコス大統領が提案した名前を踏まえての発言だった。マハルリカは古代インドのサンスクリット語などにルーツがある言葉とされ、フィリピン語では「偉大な」「高貴な」といった意味を持たせている。インドネシア語の自由や独立を意味する「ムルデカ（Merdeka）」と語源が共通する。

国名変更論は、二〇世紀に入ってからのアメリカ統治時代以来、くすぶり続けてきた。改名案としては「ルスビミンダ（Luzviminda）」や「ミンビルス（Minviluz）」が古くからある。北のルソン島、中部のビサヤ地方、南のミンダナオ島を組み合わせた名称だ。スペイン統治に反旗を翻して処刑された国民的英雄の名を冠した「リサール共和国」、さらには「サリバヤン（多様な国）」「バンサン・カプラウアン（多島国家）」といった名も上がっていた。

改名論議の背景には、国名のルーツがスペイン植民地時代を想起させることへの複雑な心情がある。しかしながら、論議はいつも中途半端な形で立ち消えになる。法律上、改名手続きが厄介なうえ、多くの人びとのあいだでは、歴史を重ねる中で現国名への愛着が深まり恩讐を超えた思いが育まれてきたからではないか。

地位と権力を「見える化」する町づくり

スペイン人の征服者が諸島を「ラス・イスラス・フェリペナス」と名付けたからといって、その住民が、すぐに「フィリピーノ（フィリピン人）」になったわけではなかった。地元の人たちは、それぞれが「タガログ」「カパンパンガン」などを自称していたはずである。しかし、スペイン人は彼らを「インディオ（インド人）」と呼んだ。スペイン統治下でキリスト教徒化した人たちに対する呼称だった。マゼラン船団に同行していたピガフェッタが、一五二一年四月、マゼランを殺したマクタン島の住民をさして初めて使った。

では、誰が「フィリピーノ」だったのか？

メキシコやペルーなどアメリカ大陸の植民地に入植したスペイン人は、一六世紀の統治初期だけで六万人を数え、そうした国々が独立する直前の一九世紀前半までに、推計一二五万人（五〇万人説もある）に達したといわれている。

ところが、フィリピンは地理的に本国から遠く離れている。ここに派遣されたスペイン人はきわめて少なかった。一七世紀初頭時点で二〇〇〇人から二五〇〇人程度。このうち、カトリックの修道士が約四〇〇人、軍人が三〇〇〇人ほどで、ほかは行政官や貿易商人らだった。大半が、メキシコ経由で来た。フィリピンはアメリカ大陸と違って、初めから永住を目的にした入植地にはならなかったから、スペイン人の数は一九世紀に入っても五〇〇〇人前後にとどまっていた。

増加が目立つようになるのは、スペイン統治末期の一九世紀半ば以降のことだ。海上交通は帆船か

セブのサンベドロに残された要塞。スペインによる植民地支配下で築かれた。(著者撮影)

ら蒸気船の時代へと移り、一八六九年にスエズ運河の開通で距離が縮まった。三年後にはその定期航路ができ人流に勢いがつく。マニラからスペインへは、従来の太平洋ルートでメキシコを経由すると半年かかったが、インド洋と地中海を結ぶスエズ運河コースが開け、約四〇日に短縮された。

それまで三〇〇年以上の長期にわたり、少数のスペイン人による植民地経営がなぜ続けられたのか? 中央集権型の統治機構の下での、政教一致による間接統治と分断支配がそれを可能にしたのだ。

スペイン人の多くは、「首府」マニラに居住した。マニラには中央政庁が置かれ、そのトップに総督が座る。国王の勅令で派遣され、植民地統治権力の頂点に立つのが総督だった。一方、地方はタガログやイロカノといった言語集団をベースに区画した「州(アルカルディア)」に分け、行政官と修道士が配属された。州の最高責任者である州知事は、総督が任命した。スペイン人の行政官が駐在したのは各州都レベルまでで、地方で一般の住民が日常接するスペイン人は布教の最前線に立つカトリックの司祭だけだった。

すでに見たように、マゼラン到達時のフィリピン諸島は、自然村「バランガイ」が点在する社会だった。バランガイの領域や構成員は流動的で移動分散型だったが、スペイン当局は統治と布教の都合から近隣するバランガイをいくつか束ね、「町（プエブロ）」をつくった。このプエブロを行政上の基本単位にした。布教活動では、最高位の大司教区をマニラに置き、地方を管轄単位として司教区（一九世紀末までに全土で五区できる）に分け、そのもとに分轄単位の小教区を設けた。小教区は「聖堂区」とも呼ばれるが、その範囲はプエブロとほぼ重なった。

プエブロに「ポブラシオン（中央区）」を築く。教会を建て、プラザ（広場）を設け、まわりに司祭館と役場、町長や有力者の邸宅を配置した。市場をはじめ公共施設などもつくる。そして、「教会の鐘の音が聞こえる範囲」に人びとを住まわせた。これが町の中心地区づくりの基本デザインだった。

スペインがアメリカ大陸でも導入した集住（レドクシオン）政策だ。住民を効率よく掌握し、徴税、労働力の確保、改宗に都合がよかった。教会は石造りにするなど大きく立派な構えにし、有力者や要人の住宅には上等な建材を使った。「地位と権力」を見える化したのだ。住民にその威光を見せつける効果があった。こうした町づくりの原型は今日に引き継がれ、各地に残っている。

カトリックを横串に長屋を建てる

統治の手法をざっくりいえば、こうだ。

スペインは、散在するバランガイ社会にキリスト教を持ち込み、カトリックを横串にして諸島をつないで長屋を建て「スペイン印」の屋根を葺(ふ)いた。屋根にスペイン人が君臨する。長屋の運営にはスペイン人の行政官が少なすぎた。そこで人員不足を補うため、「ダトゥ」と総称されるバランガイの首長層を温存して「協力者」に仕立てた。体制に取り込み、「カベサ・デ・バランガイ（バランガイ長〕」の肩書を与え、人頭税を免除するなど「特権」を与えて手なずける。もともとバランガイの首長ダトゥは世襲が一般的だったが、長屋を築く過程で反抗的な人物は排除した。骨抜きにされた首長たちの互選で、最も協力的なカベサ・デ・バランガイが「ゴベルナドルシリョ（小さな統治者）」に選ばれる。それが「プエブロの長」、つまり町長で、「インディオ」が就ける最高の地位だった。こうして、スペイン当局のメガネにかなった人物が長屋の住民の上層を占めるメカニズムが築かれていく。

つまりスペイン長屋は、旧ダトゥ層を「中間管理職」とした間接統治の形で運営された。そこは一つ屋根の長屋ではあったが、「棟割り」の長屋だった。内部は島々で地理的に分断されたまま、いくつもの言語集団が残され、相互の接触は極少化された。

言語集団間の対立や不信感も煽られた。たとえば、ある地方で反乱が起きると、ほかの地方の住民を動員して鎮圧するといったことが頻繁に起きた。それが意思の疎通を欠く集団間の不信感や敵対心を生んだ。スペイン人の教区司祭は、現地の言葉を学んで布教した。フィリピンにスペイン語が浸透しなかった理由の一つだが、分断統治で、地元の諸言語を基礎にした共通語も育てなかった。間接統治と分断支配の傷は、後々まで尾を引くことになる。

キリスト教化は、ルソン島やビサヤ地方の低地を中心に、一七世紀半ばごろまでに急速に進んだ。だがその一方には、カトリックの横串をはねつけ、最後まで長屋入りに抵抗した人たちがいた。山岳地帯を生活圏に伝統のアニミズムを信奉してきた人たちと、スペイン到達以前にイスラームを受け入れたスールー諸島やミンダナオ島など南部の人たちである。

フィリピン諸島の全域にスペイン印のカトリック長屋を築く試みは未完に終わり、領域には大きく三つの宗教圏が残った。

「本社派遣組」と「現地採用組」のミゾ

諸島に植民地支配体制が定着し、時代が下るにつれ、フィリピン生まれのスペイン人が誕生する。彼らは、本国出身者（メキシコなど「新大陸」生まれも含む）たちと区別され、「インスラール（諸島生まれ）」として「フィリピーノ」と称されるようになる。

本国出身者「ペニスラール（半島生まれ）」は、何かと優遇されながらも数年の勤務で帰国する。記録が残っている総督のリストを見ると、三〇〇年あまりのスペイン統治のあいだ、臨時や代理も含め計約一二〇人が派遣されたが、その在任期間は平均で三年弱だった。一九世紀に入るころからは、在任期間の短期化がさらに進む。これに対し、フィリピーノは諸島に定住し地元への愛着を深めるが、処遇に不満を募らせる。両者は、いわば「本社派遣の駐在員」と「現地採用組」の関係にあり、屈折するミゾが広がっていく。

フィリピーノは、有力者の旧ダトゥ層やマニラで経済力をつけた中国出身者らと婚姻などを通じて結びつく。こうして登場するのがメスティーソ（混血）だ。混血層も包摂してフィリピーノ・アイデンティティが広がり、存在感を増すようになるのは一九世紀の半ば以降のことだった。

背景に経済環境の変化がある。ガレオン船による中継貿易に頼り、当初はフィリピン諸島の国内開発を等閑視してきたスペインだが、オランダやイギリスが徐々に割り込むようになると、一八世紀半ばごろから従来の重商主義を修正する。砂糖やタバコ、ヤシ油といった換金商品作物の栽培を奨励するなど、ようやく地方開発に乗り出す。この政策の下で、土地の価値が見直され有力フィリピーノたちが農地を集積していく。大土地所有者の誕生だ。

こうして経済力をつけた地主層から、高等教育を受けた知識人「イルストラード」が育ち、「フィリピーノにもスペイン人と同等の権利を認めろ、対等に扱え」との主張を展開する。

その代表が、ホセ・リサール（一八六一～九六年）だ。今日、フィリピン人なら誰もが「国民的英雄」の筆頭にかかげる人物である。

マニラ近郊の広大な教会所領を借り受けた農場経営者の出自で、中国人移民の血を引くメスティーソだった。マニラで農学や医学を学んだのち、スペインに長期留学。ヨーロッパ各地も旅して社会全般に関心を向け、スペイン統治の圧政やカトリック教会の腐敗と不道徳を告発する運動を展開する。フィリピーノの、エリート中のエリートだった。

リサールは、二度目のヨーロッパ行きの際、一八八八年にロンドンの大英博物館で、ピガフェッタ

上：欧州に留学した「イルストラード」（知識人）たち（19世紀後半、フィリピン政府提供）。
下：「国民的英雄」ホセ・リサールは、1896年、マニラでスペインによって銃殺刑に処せられた。その現場は「リサール公園」として整備され、処刑の様子を模した銅像が設けられている。（著者撮影）

の航海記やモルガの『フィリピン諸島誌』を見つける。これらの本を手にとったフィリピン人は、記録に残るかぎり、当時二七歳のリサールが最初だった。

歴史家でリサール研究者でもあるアテネオ・デ・マニラ大学のオカンポ教授によると、リサールは博物館に通いつめ、スペイン語で書かれたモルガの大著を書き写す。翌年、注釈をつけてパリで出版した。「野蛮」「未開」と教えられてきたフィリピンの「過去」が、植民地支配者による「宗教にかこつけた虚偽」であり、先祖はスペイン統治以前に一九世紀後半の「現状に劣らぬ独自の文化」を享受していたことに感動したという。

モルガらの本はスペイン統治下のフィリピンには持ち込まれていなかったから、「若きリサールにとって『覚醒の書』だった」。オカンポ教授はそう指摘するとともに、「リサールはフィリピン人の先祖の偉大さを強調したいがために、注釈にやや行き過ぎた評価を加えたことは否めない」と、国民的英雄の注釈を冷静に分析する。

対スペイン告発を展開するリサールは、当局に危険人物とみなされ、一八九六年に銃殺刑に処されてしまう。三五歳だった。運動の中軸は、無産階級出身の青年指導者アンドレス・ボニファシオ(一八六三～九七年)に移って過激化し、抜本的な変革を求めて武力革命へと突っ走る。だが、こうなると既得権益を守りたい旧ダトゥ層が奮い立ち、主導権を奪い取る展開になった。

この過程で、圧政下に置かれてきたインディオたちの「民族的覚醒」も刺激され、幅広くフィリピン人意識が醸成される。フィリピーノ・アイデンティティは植民地支配で芽生え、抑えつけられて鍛えられていく。経済環境の変化が、地元上層部を中心に社会構造の変動をもたらしたのである。

しかし、そうしたところに新たな帝国主義勢力が登場する。新興国家のアメリカだ。

旧ダトゥ層出身のエミリオ・アギナルド（一八六九～一九六四年）が、過激派のボニファシオから主導権を奪って新たな独立運動を展開し、一八九八年六月、「フィリピン共和国」の独立を宣言する。ところが、キューバの対スペイン独立革命に端を発したアメリカとスペインとの戦争勃発の余波で、フィリピンの「独立」はすぐに潰されてしまった。アメリカは同年一二月、フィリピン人抜きのスペインとの「頂上合意」でパリ条約を結び、スペインはフィリピンの主権を二〇〇〇万ドルでアメリカに譲り渡した。この金額はアメリカがオファーしたとされ、条約に従い批准（一八九九年二月六日）から三か月以内に支払われた。

「〔国家は〕馬や家屋のように売り買いするものではない」。当時のフィリピン革命軍の将軍アントニオ・ルナは、マニラで発行されていた革命軍側の新聞『La Independencia（ラ・インディペンデンシア）』で、アメリカとスペインの取引を痛烈に批判している。

二〇〇〇万ドルが高いのか、安いのか。微妙だが、今日の価格に換算するアプリで算出したら約六億七〇〇〇万ドルだった。二〇二一年五月時点で、約六八〇億円だ。ちなみに、プロサッカー「FCバルセロナ」時代のエースストライカーだったリオネル・メッシが、二〇一七年一一月に結んだ四年契約の報酬総額は、五億五〇〇〇万ユーロ（同七〇〇億円あまり）だった。

スペインは、当時すでに海外領土のあらかたを失っていた。最後に残っていた主要植民地がフィリピンだった。それを、プエルトリコやグアムなどとともに手放したのだ。この意味で、パリ条約は大航海時代以来続いてきた「スペイン帝国の死亡診断書」だった。

米上院が同条約を批准する二日前の一八九九年二月四日、フィリピン独立軍は米軍部隊と戦争に入り、最後はゲリラ戦を展開する。だが、米軍の圧倒的な戦力に結局は屈した。

三〇〇年あまり統治下に置かれたスペイン印の長屋は、二〇世紀の幕開けとともにアメリカ印に塗り替えられ、長屋の住民は引き続き植民地支配の下で苦難の道を歩むことになる。「スペインの海」だった太平洋は、「アメリカの海」へと変容し、アメリカは「太平洋国家」という新たな顔を獲得する。後発ながら「帝国主義国家」として勢力を伸ばし、影響力を地球規模で拡大していく。

第6章

マニラと中国人社会、日比関係の源流

［扉図版］

マニラの日本人の姿を描いた絵（1590年頃）。

チャールズ・ラルフ・ボクサー教授の古写本（Boxer Codex）による（米インディアナ大学リリー図書館蔵）。朱印船貿易が盛んになり、東南アジア各地に日本人町が形成されたが、その最大だったのがマニラで、3000人規模に達していたといわれる。

1……交易の結節都市は「東洋のコスモポリス」

太陽が沈む光景は、どこで見ても美しい。とりわけ海原に没する夕日は、旅情をかき立て、感動を誘う。

首都マニラといえば、マニラ湾の夕日が有名だ。フィリピン政府の観光省は「世界三大夕景の一つ」とうたい、広く宣伝している。あとの二つがどこかはともかく、何がマニラ湾の夕日を有名にしてきたのか？

遠くに南シナ海へと続くマニラ湾は、西に大きく口を開け、正面にコレヒドール島、北側にバタアン半島を配して悠然と広がる。湾岸の大通りにヤシの木々が立ち並ぶ。灼熱の太陽が衰えはじめ傾くと、色の七変化を遂げながら没していき、「ジューッ」と焼きゴテを水につけたような音が聞こえてくる気がする。島影が黒く浮かび上がり、沖合で入港を待つ外洋航路の大型船も景色に溶け込む。やがて、どこからともなく冷気をはらんだ風が忍び寄り、ヤシの葉をかすかに揺らす。

ヤシの並木、島影、大型船。この「背景の三点セット」がつくるシルエットが、マニラ湾の夕日の美しさを際立たせるのだ。

八〇万人規模を想定した街づくり

湾岸道路の整備など、首都としてのマニラの街づくりが本格的に行われるのは、アメリカによる植民地統治が始まる二〇世紀に入ってからだった。米シカゴ万博（一八九三年）の総指揮を執った建築家ダニエル・バーナム（一八四六〜一九一二年）が設計した。マニラの人口を「八〇万人規模」と想定した都市計画だった。

アメリカ統治下で最初の国勢調査は、一九〇三年に実施された。当時のフィリピンの総人口は約七六四万人。マニラの人口はその三％弱の二二万人で、まだ突出した都市ではなかった。バーナムは、マニラの人口規模が将来四倍近くになることを想定してデザインしたという。

それから一二〇年が経つ。総人口は二〇二二年に、一億一三〇〇万人を超えた。一九四六年のアメリカからの独立以降、人口増が特に著しい。増加率は、一九六〇年代末まで年三％台で推移した。以降、鈍化傾向にあるものの、一・六％台から下がらない。家族が社会・経済的なセーフティネットの役割を果たしてきたし、避妊や人工中絶に否定的なカトリックの保守的文化も人口増を後押ししている。

フィリピンはアジア太平洋戦争最大の激戦地だった。日本は六三万あまりの将兵を投入し、民間人も含めて計五一万八〇〇〇人が戦没した。当時の米軍側の調べだと、フィリピン人はその二倍超の一一一万人が犠牲になった。とりわけマニラでは、戦争最終局面の一九四五年二月から三月にかけ、日米両軍が激突する市街戦で市民一一万人が死亡した。街の破壊はすさまじく、第二次世界大戦最悪とされるポーランドのワルシャワに次ぐ規模だったといわれる。

マニラは戦禍から立ち上がった。首都は一時期、北側に隣接するケソン市に移った（一九四九～七六年）が、面積約四〇平方キロメートルのマニラ市は、就業機会などチャンスを求めて地方から流入する人口で膨れ上がる。しかし、今や一八〇万人あまりで飽和状態に達している。

その代わりにあふれ出るようにして膨張し続けてきたのが周辺部だ。一九七五年にマニラ市を含む四市一三町で「メトロマニラ（マニラ首都圏）」が形成される。当時、計四八〇万人だった人口は二〇二二年時点でざっと一四〇〇万人超に拡大した。人口増で町は年々「市」に格上げされ、現在一六市一町の構成になった。メトロマニラの人口規模は東京都全体とほぼ同じだが、面積は東京二三区と同程度の約六三〇平方キロメートルだから、メトロマニラの超過密ぶりがわかる。

湾岸沿いからマニラ湾の夕日を眺められる範囲も、ぐっと狭まった。一九六〇年代半ばまではマニラ、パサイ、パラニャーケといった地区を貫く全長七キロメートルの湾岸道路の目の前は、西に海が開けていた。ところが六〇年代半ばから湾岸の一部で埋め立てが始まり、今では道路と海岸線が並行する距離は二キロメートルほどに縮まってしまった。埋め立て地は拡張され、一九六九年開設の文化センターを皮切りに、その後は国際会議場、ホテル、遊園施設、ショッピングモールなどが次々に建設された。古い世代のマニラっ子からは「風情がなくなった」とぼやく声も聞こえてくるが、若者たちはエアコンが効いたモールでデートを楽しんだりしている。

城壁に囲まれた特権社会

「マニラ」という地名の由来には諸説ある。ホテイアオイ系の水草「ニラ」がある場所だったことから地名がついたとする説や、染色植物系のマングローブ「ニラッド」が生い茂っていたとする説などだ。いずれにしても、水や湿地を連想させる。

マニラ湾岸から直線にして一〇キロメートルほど東方には、「ラグーナ・デ・バイ（バイ湖）」がある。汽水湖で、面積は約九〇〇平方キロメートル。周囲が二二〇キロメートルまで延びるフィリピン最大の湖で、東南アジアではカンボジアのトンレサップ湖、インドネシアのトバ湖に次いで三番目に大きい。

バイ湖から流れ出る川がパシッグで、全長約二七キロメートル。近辺から二〇あまりの支流も集め、大きく蛇行しながらゆっくりとマニラ湾にそそぐ。周辺地帯の最も重要な水系の一つで、水運にも利用されてきた。標高差が数メートルだから、マニラ湾の満潮時には海水が逆流することもある。マニラは、パシッグ川流域に形成されたデルタ地帯にルーツがある。

周辺の先住民たちは「タガログ人（Tagalog）」と他称され、自称してきた。「川から来た人」という意味だ。その川がパシッグ川だった。彼らが使ってきた言葉がタガログ語で、今日の国語「フィリピン語」の基礎になっている。

マニラ湾は、バタアン半島とカビテの岬に挟まれ、入り口の幅が二〇キロメートル弱と狭い。湾の中央部にオタマジャクシのような形をしたコレヒドール島が、番兵のごとく立ちはだかる。湾全体の奥行きは約六〇キロメートルあり、幅は四〇キロメートル近い。水深も十分だから、大型船が楽に出入りできる。自然の良港であり、戦略上の要衝なのだ。

マニラは少なくとも一五世紀前半ごろには、ボルネオ島のブルネイ王国や中国南部の港を結ぶ交易ネットワークにつながっていたとみられる。スペインがこの地を占拠し、植民地統治の拠点を置いたのが一五七一年だった。その経緯は第4章・2節で触れた。

スペイン勢力はパシッグ川河口の南側に、統治の中枢を担う城壁都市「イントラムロス」を建設した。この場所はイスラームの影響を受けた有力首長の本拠で、木造の砦が築かれていたとされるが、コンキスタドール（征服者）が奪取する。住民「インディオ」を徴用し、当初は木柵で囲み、その後、石壁をめぐらすなど本格的な城壁造りに取り組んだ。一五七四年、中国人の林鳳（リム・ホアン）を首領とする海賊集団にマニラが襲撃されたことから、城壁を当初の構想より高くし強化したとされる。この海賊集団には、日本人も交じっていたとの記録が残っている。

城壁都市全体の体裁が整うのは、一七世紀初頭になってからだ。最終的には高さ六メートル前後、

スペインは、植民地統治の中枢を担う城壁都市「イントラムロス」を建設した。
上：1734年のマニラのイントラムロスの街路図。
下：現在も遺っているマニラのイントラムロスの入り口（著者撮影）。

幅二メートルあまりの石壁が、周囲約五キロメートルにわたって築かれた。総面積は、最大時で六七ヘクタールあった。東京ドーム一四個分に相当する広さだ。要塞「フォート・サンティアゴ」を設け、要所に大型の大砲を据えた。

イントラムロスには中央政庁の総督府が置かれ、行政官舎、大聖堂、修道院、神学校、病院などが建設された。そこは城壁に守られた特権社会で、マニラに暮らすスペイン人コミュニティの中心舞台になった。城内の居住は原則、スペイン人とスペイン系メスティーソにだけ許された。マニラは一五九五年、国王フェリペⅡ世の勅令で正式にスペイン領東インドの「首府」に定められた。領域は、西太平洋のグアム島などマリアナ諸島やカロリン諸島、さらにはボルネオ島のサバ地区などを含むエリアへと広がっていく。

スペイン統治初期の行政官モルガは、「マニラは、ここに集まる外国人が世界中で最もほめたたえる居留地の一つ」と書き記し、「食料およびその他、人間生活に必要ないっさいのものが豊富にあり、しかも値段が安いから」との理由をあげている。交易の結節都市として、すでに「東洋のコスモポリス」とでも呼べる街へと発展しつつあったようだ。

しかし、城壁の外には、征服され、不満を抱く現地の住民がいた。加えて、スペイン人の日常生活に欠かせない物資を運んでくる人がいた。中国人たちだ。その数は瞬く間に膨れ上がっていく。

イベリア半島からは地球の反対側に位置するマニラだ。時は一六世紀。はるばるやってきたスペイン統治初期のコンキスタドール（征服者）たちには、旅情に浸りながらマニラ湾の夕景を優雅に愛でる心の余裕があっただろうか。

2……中国人を警戒しながら共存共栄を図る

今日のフィリピンに暮らす「華僑」は意外と少ない。一四〇万人に満たない。総人口の一％ほどである。華僑とは、中国籍を保持したまま海外に生活基盤を置く移民やその子孫のことだが、フィリピンの華僑は、東南アジア諸国の中では人口比が最も小さい。しかし、いわゆる「華人系」は少なくない。先祖のルーツは中国だが、フィリピン国籍を持ち世代を重ねてきた人たちで、その数は五人に一人との見方もある。彼らの先祖の多くは一九世紀以降に移住し、フィリピン社会に同化した。

スペインからの独立運動の端緒を担った「国民的英雄」リサールがそうだし、歴代大統領もアギナルドから現在のマルコス・ジュニアまで計一七人を数えるがほとんどが先祖に中国人の血が混じっている。

経済界は、華僑系の存在が特に大きい。米経済誌『フォーブス』が毎年発表している世界の富豪ランキングを見ると、フィリピン版は華人系が常に上位を独占してきた。たとえば、

フィリピンの富豪「トップ10」と資産総額（推定）

順位・氏名	資産総額
1．ヘンリー・シー兄弟★	166億ドル
2．マヌエル・ビリヤール	67億ドル
3．エンリケ・ラソン・ジュニア	58億ドル
4．ランス・ゴコンウェイ兄弟★	40億ドル
5．ハイメ・ソベル・デ・アヤラ	33億ドル
6．デニス・アンソニー及びマリア・グレース・ウイ★	28億ドル
7．トニー・タン・カクチョン★	27億ドル
8．アンドリュ・タン★	26億ドル
9．ラモン・アン★	23億ドル
10．アーサー・ティ兄弟★	22億ドル

（★印は華人系）
出典：経済誌『Forbes』2021年9月刊行

二〇二一年九月発表のリストによると、「トップ一〇」のうち、華人系以外は三人だった（右ページの別表を参照）。

華人系富豪は、多くが小売業などから身を起こし、外食、金融、不動産といった分野で基盤を築き、手広くビジネスを展開してきた。

九世紀前後の貿易陶磁器が出土

フィリピンの英字紙『The Philippine Star』は、二〇一七年九月二三日付で、華人系の著名な社会学者で市民活動家でもあるテレシタ・アンシー氏の投稿記事を載せた。南部のスールー諸島のホロ島からイスラーム教徒の元スルタンの子孫らが中国に招かれ、墓参りをしたという報告が書かれている。

フィリピンへのイスラーム教の伝播は、マゼラン到達よりずっと早く、一三〇〇年代の後半以降、スールー諸島から始まっている。アンシー氏によると、六〇〇年前の一四一七年、当時のホロ島のスルタン・パドゥカ・バタラが約三五〇人の従者を引き連れ、中国へと朝貢の旅に出た。北京で明の皇帝・永楽帝に謁見したが、スルタンは途中で客死してしまい、山東省徳州に埋葬された。その際、同行の親族約一〇人が墓守をするとして同地にとどまる。その一七代目と一八代目の子孫三人が二〇〇五年六月、中国からホロ島を訪ねた。これを機に両者の交流が深まり、六〇〇年ぶりの墓参りが実現したという。

フィリピンと中国は、近年、南シナ海の島々の領有権をめぐって対立関係にある。しかし、二〇一六年に発足したドゥテルテ政権は、経済援助や投資を計算に入れての対中融和外交を展開してきた。そうしたことも背景に「長い両国関係」を強調する交流行事だったが、フィリピンのイスラーム教徒と華人系社会の一部を除くと、ほとんど関心を呼ばなかった。

それでも、古くから真珠やナマコを産してきたスールー諸島は、南シナ海南部の交易センターの一つになっており、中国とは六〇〇年前に朝貢団が訪ねる関係が築かれていたことを改めて知らせる機会になった。

中国との文物によるつながりは、少なくとも九世紀前後にまでさかのぼれる。考古学者で、フィリピン各地の貝塚調査など先駆的な業績を残した上智大学の青柳洋治教授（一九四一〜二〇一七年）によると、ルソン島やミンダナオ島北東部では、九世紀前後からの青磁や白磁など中国製の「貿易陶磁器」が数多く発掘されている。フィリピン産の黄金や蜜蝋などとの交易の対価だったのではないか、と青柳教授は推測していた。

現存する「世界最古」のチャイナタウン

植民地支配勢力スペインのマニラ進出は、交易で先行していた中国人に導かれての事業だった一面がある。当初、セブに足場を置こうとしたが、食料確保などの難点からあきらめる。新たな拠点を探す途上、難破しかけた中国船を救助したら絹製品を持っており、スペイン人はこれに目をつけてマニラに向かった。マニラはすでに中国からの商人らが出入りする要衝になっていた。スペイン統治初期の行政官モルガによると、一五七〇年ごろにはマニラに一五〇人ほどの中国人が居住していたという。

スペインがマニラに拠点を置くと、中国人はガレオン貿易用の生糸や絹製品だけでなく、スペイン人コミュニティが必要とする日常品を運んできた。家具や食器、馬具、布地、装飾品などなど。買い手がいるとなれば、ペット用の小鳥も仕入れてきた。モルガは、「数え上げたらきりがない」と記述している。

「チナ（中国）、日本、マルーコ（マルク）、ボルネオ、シアン（シャム）、マラカ（マラッカ）及びインディアから商品を積んでフィリピナス諸島へ交易に来る夥（おびただ）しい数の帆船が参集し、ここで、全島及びその村落のための商品を売り物々交換を行っている」。モルガは、マニラ湾やパシッグ川河口の光景をこう描いた。主役が中国商人だった。

　彼らの大半が中国大陸南東部の沿岸地帯の福建からやって来た。福建の地形は背後に山が迫り、耕作地が狭い。古くから海外各地に新天地を求める人が多かった。とりわけフィリピンの場合は台湾と対面する位置の閩南（ビンナン）地方と呼ばれる泉州や漳州、厦門（アモイ）などの出身者が顕著だ。彼らが使う福建語は、「閩南語」という呼び名でも知られる。

　マニラと泉州など福建の港は、中国の帆船ジャンクで結ばれた。片道一五日から二〇日だった。中国人は、スペイン人から「サンレイ」と呼ばれた。サンレイは「生意」と書き、福建語でビジネスを意味する。「商来」や「常来」の説もある。

　中国人の数は短期間に急増した。スペイン当局はマニラ経営を始めて一〇年後の一五八一年、彼らの管理を容易にするためとしてイントラムロスの北側に隣接する中国人居住区「パリアン」を設け、集住させた。モルガによると、そこはイントラムロスに据えた大砲の射程内にあった。タガログ語の「パ・ディアン（特定の場所へ行く）」が語源ともいわれるが、はっきりしない。パリアンは最終的には、マニラと周辺各地に少なくとも計九か所できた。その一部は一九世紀半ばまで残った。

　スペイン人は一七世紀初頭時点で、マニラを中心に二〇〇〇人程度だったとされるが、中国人はすでに二万人から二万五〇〇〇人を数える規模に膨らんでいた。移民社会の常として、男性が圧倒的に

現存する「世界最古」のチャイナタウンが、マニラのビノンド地区にある（著者撮影）。

多かった。

中国人の存在は、スペイン当局にとって愛憎半ばする関係にあった。サンレイがいなければガレオン貿易は成り立たないし、日常生活にも支障をきたす。彼らから徴収する一種の住民税も植民地の重要な財源だ。しかし、儒教や道教を捨てない「異教徒」の大集団は潜在的な脅威だった。かくして、両者のあいだで、弾圧・反発・虐殺・暴動が何度も繰り返される。各地で放火が疑われるパリアンの火事も起きた。一六〇三年には、マニラと周辺地域で二万人を超える中国人が虐殺されたという。中国人社会がほぼ全滅する事件だった。それでも、サンレイはいつの間にかまた膨れていく。虐殺事件を挟んだ一六〇一年からの一〇年間に、計約二九〇隻のジャンクが貿易品を運んでマニラに入港し、一六〇五年だけでも新たに計六五〇〇人を超える中国人がマニラなどに住みつき、パリアンを再建した

スペイン当局は一方で、彼らに弾圧を加えながらも、カトリックへの改宗を迫り、現地女性との結婚を督励するなどして取り込みをはかった。一五九四年、カトリックを受け入れた中国人に、パシッグ川北側のビノンド地区を新たな居住地として割り当てた。二年後にはキリスト教会も建ち、中華街の原型が形成され、ビノンドは「サンレイ・メスティーソ（混血中国人）」たちの揺籃の地になっていく。ビノンドの中華街は今日

も活気があり、現存する「世界最古」のチャイナタウンとしての歴史を誇る。

サンレイ、つまり中国人について、モルガは「〔彼らがいなければ〕マニラ市は生活することも維持することもできない」と認め、「あらゆる職業に熟達しており、非常に働き者であると共に報酬が比較的安いから」としながらも、「もっと小人数でも足りる」と大集団化に不満をぶつける。さらに「原住民と通商をするという口実のもと」に、大勢が各地に入り込み国中を踏査し、「河川や小川や港のことをエスパニア人（スペイン人）よりもよく知っている」と観察。だから、「反乱」が起きたり「敵が侵攻」してきたりすれば、「非常に有害であり大きな損害を与えることになろう」との懸念を率直に綴っている。

マニラのスペイン当局は「共存共栄」の関係にあった中国人社会の必要性を受け入れながらも、一方で強い警戒心を向けたのだった。

3……「国家」に翻弄される日比間の交流

日本列島とフィリピン諸島のあいだには、古い時代から人びとの行き来があったと推察される。海流や季節風が、人の流れを後押ししたのだろう。中間に位置する琉球列島の存在も無視できない。マゼランがフィリピン中部のビサヤ地方に到達する五〇〇年前に、すでに日本人がルソン島やミンドロ島、さらにはミンダナオ島に足跡を残している。

日本人は、少なくとも一五世紀半ばごろには、ルソン島に姿を現した。同島北端のカガヤン川河口のアパリをはじめ、リンガエン湾のアゴー、パンガシナンのボリナオなど南シナ海に面した要衝の地を足場にした。彼らは、歴史書では海賊行為や密貿易にたずさわる「倭寇」とみなされている。

倭寇は、後期になると中国人らも増え、東シナ海や南シナ海沿岸の各地で暗躍していた。当時、中国の明朝は対外貿易を皇帝の管理下に置く「海禁政策」で倭寇の取り締まりを強化したが、その隙を突いての取引には、ルソン島のアパリやアゴーが都合よかったのだろう。その後、交易の足場はマニラにも延びていく。モルガの『フィリピン諸島誌』によると、一五七〇年時点で二〇人ほどの日本人がマニラにいたという。

ここまでは、いわば民間の交流だった。しかし、一六世紀末から一七世紀初頭にかけて両者の関係に本質的な変化が生じる。フィリピンではスペイン統治が本格化し、一方の日本では豊臣秀吉による全国統一（一五九〇年）が進み、続いて徳川幕府が成立したことから国家間の問題が浮上したのだ。大きく三つの要素が絡んでいた。貿易の振興、キリスト教の布教、領土への野望である。

貿易振興がジレンマを生む

貿易に関しては、スペイン当局と織田・豊臣・徳川はそれぞれの思惑からともにそのメリットに着目し、振興を歓迎した。

日本との関係ではポルトガルが先行しており、ゴア、マラッカ、そしてマカオへと拠点のネットワークを広げて九州周辺に航路を延ばしていた。スペインは、マニラとアカプルコを結ぶガレオン貿易を展開する中で、日本の港への寄港を望んだ。スペイン本国が同君連合でポルトガルを併合した一五八〇年以降、スペインの対ポルトガル関係はアジア地域でも優位に立つ。一五八四年には、スペインのガレオン船が初めて平戸に入港。翌年、平戸の領主・松浦家は答礼船を一隻、マニラに送り込む。

以後、通商目的の日本船が、長崎や大坂の堺などからマニラへと向かうようになり、その数は年々増えていく。また、スペインの貿易船もマニラから毎年のように日本に来航するようになった。

すると、対外関係の管理統括が急務になる。倭寇を締め出し、豊臣政権はその一環として、貿易のコントロールを目的に一五九二年から朱印状を発行する。「国家お墨付き」の貿易が始まったのだ。島津、鍋島、細川といった主に西国の有力諸大名が企業主になり、配下の豪商たちが「海外渡航許可証」の朱印状を受け、今日の東南アジア各地に貿易船を派遣した。こうして、日比間に公認貿易の扉が開かれた。

日本からマニラへは、冬場に吹く東シナ海の風をとらえ、刀剣類や漆器、屏風などの工芸品、日用品を運んだ。好天なら、長崎から二〇日ほどで着く。マニラでフィリピン産の鹿皮や蘇木、蜜蝋、砂糖など、中国製の生糸や絹布などを仕入れ、雨季に入る六月ごろから南シナ海に吹く南西の季節風を受けて戻るのが恒例だった。

とりわけフィリピンの鹿皮は、武具や手袋、足袋などの素材として需要が高かった。このため鹿が乱獲され絶滅の危機に瀕し、マニラのスペイン政庁は捕殺禁止令を出したほどだったという。

素焼きの壺も日本人が買い漁った。堺の豪商・納屋助左衛門がマニラから持ち帰った壺が茶人の千利休の目にとまり、秀吉が愛でたことから「呂宋壺（ルソン）」として諸大名らが珍重し一気にニーズが広がった。モルガは、「日本人はこの壺を探し求め」、高価で買い取るので地元民が競って集め、「今ではもうほとんどなくなってしまっている」と書き残した。

この助左衛門の話は、ＮＨＫの大河ドラマ『黄金の日日』（一九七八年放映）で有名になった。作家・城山三郎の同名の小説をもとにした連続ドラマだ。助左衛門は呂宋を冠して立像になり、堺市の港で海を見つめて立っている。

呂宋壺は、じつはフィリピン製ではなく、一五世紀前後に中国南部の広東や福建で焼成されてフィリピンに持ち込まれたのではないかといわれている。

徳川時代に入ると、対外貿易は一段と盛んになる。特に初代将軍の家康（在職一六〇三～〇五年）は御朱印船貿易に熱心だった。背景に、関ヶ原の戦い後の国内産業の発展や銀産出の増大があった。ところが、貿易振興はジレンマを生む。キリスト教の布教との矛盾が浮上したのだ。ポルトガルやスペインの貿易船には宣教師たちも乗ってきた。

フィリピン各地で出土した壺（マニラの国立博物館で著者撮影）。日本では「呂宋（ルソン）壺」として、秀吉や諸大名に珍重された。

キリスト教と領土支配の野望

フィリピンでは、スペイン統治が本格化してから五〇年ほどのあいだに、ルソン島やビサヤ諸島の低地部を中心に住民のキリスト教化が大いに進んだ。しかし、フィリピンの人口は希薄だった。一七世紀初めで、推定約七〇万人。政教一致体制を敷いたスペイン当局は、有望な布教先として中国を視野に入れていた。中国の人口は一七世紀初頭で、すでに一億五〇〇〇万人に膨れ上がっていたとみられ、日本もその一割あまりの一六〇〇万人と推定される。

日本では、イエズス会士のザビエルが一五四九年に薩摩から布教を開始したのに続き、主にポルトガル系の宣教師が次々とやってきた。一五六三年には、のちに『日本史』を著すルイス・フロイスが、横瀬浦（現在の長崎県西海市の港）に上陸する。時の権力者・織田信長は対外貿易を優先し、布教に寛容な態度をとった。

信長がキリスト教の布教を許したのは対立する一向宗（浄土真宗本願寺教団）を牽制する目的があったとされるが、近年の研究によると、イエズス会が信長の欲する軍事物資の確保に協力したからだったとの説も出ている。当時、日本では鉄砲が伝来し、その国産化と量産化が進み、兵法に革命的な変化が起きていた。イエズス会の宣教師たちは、砲薬づくりに必要な鉛や硝石をそれぞれタイと中国から入手し、信長のもとに届けていたという（藤田達生『戦国日本の軍事革命』中央公論新社、二〇二二年）。

本格的な鉄砲戦は、一五七五（天正三）年、三河（愛知県）で信長・家康連合軍と武田勝頼の軍勢が対決した長篠の戦いだった。この戦いは従来、信長側の「三〇〇〇丁鉄砲隊」による新戦法が、武田陣の騎馬隊の伝統兵法に優ったと理解されてきた。だが近年の研究で、鉄砲はすでに武田勢にも入っていたが、弾の素材は地元産の鉄や銅だったのに対し、信長側は加工しやすく威力も高い良質のタイ産の鉛を宣教師ルートで大量に確保していたのが、決定的な勝因になったことがわかってきたという。硝石も当時は国産がなく、信長側は中国などの外国産を同ルートで手に入れていたとされる。

つまり、弾薬確保の見返りが、キリスト教に対する信長の寛容姿勢だったという。イエズス会には、日本での活動資金不足を補う目的もあったと『戦国日本の軍事革命』は指摘している。持ちつ持たれつの関係ができていたというわけだ。

秀吉も当初、信長の寛容政策を受け継いだ。布教の勢いは加速する。ザビエル以来、ざっと半世紀が経つ一六〇〇年代初頭時点で、キリスト教の洗礼を受けた信徒数は、最大で七〇万人から七五万人に達していたとする推計がある。当時の日本の総人口の約四・五％に相当するし、今日の人口規模に当てはめれば、ざっと五六〇万人になる勘定だ。

ところが秀吉は、一部の宣教師の布教活動に疑念を抱く。彼らの活動には、領土支配の野心が隠されていると見たからだ。秀吉は一五八七年、九州の筑前箱崎で「伴天連追放令」の形でキリスト教の禁教令を出す。伴天連はポルトガル語やスペイン語で神父を意味する「パードレ」の音訳だ。一五九六年には、秀吉が不信感をいっそう強める事件が起きた。ガレオン船サンフェリペ号の土佐漂着事件だ。翌一五九七年、長崎で日本人信徒を含むキリスト宣教師二六人を処刑する。貿易は認めるが、「布教は許さない」とのメッセージだった。それでもなお、宣教師たちは陰に陽に布教活動を続けた。

秀吉は、国威発揚などを狙った武断外交も展開した。その実例が、二回にわたる「朝鮮出兵」だ。文禄の役（一五九二～九三年）と慶長の役（一五九七～九八年）で、究極的には、中国・明を「服属」させる目的を視野に入れた侵攻だったとの見方もある。

権勢を誇る秀吉は、マニラも影響下に置く野望を抱いていた。村上直次郎編『異国往復書翰集　増訂異国日記抄』（駿南社、一九二九年）によると、秀吉は一五九一年と九二年の二度（三度説もある）、マニラのスペイン総督ゴメス・ペレス・ダスマリニャスに宛てて、降伏を勧告し入貢を求める書簡を送っている。

マニラで貿易にたずさわっていた京都出身の豪商・原田喜右衛門が、秀吉に、寵臣の長谷川法眼宗仁を介してフィリピン事情を伝えた。スペインはキリスト教の布教を通じて版図の拡大を狙っているが、今はまだマニラに駐留するスペイン人は数が少なく軍備も貧弱だから、攻略は難しくないと説き、先手を打って入貢を促し、「応じなければ、討伐軍を出すと脅せば、直ちに降伏するはず」と進言したという。秀吉はこれを受けて、喜右衛門の親族とされる原田孫七郎に書簡を託し、「服属しろ。背けば後悔するだろう」とダスマリニャス総督を恫喝した。同様に、台湾も攻略対象に入れていた。関係書簡は、セビリアの「インディアス総合古文書館」などに残されているという。

日本は長い戦国時代を経てきた「好戦的な国」という情報が、マニラに伝わっていた。総督は返書で言を濁して入貢要求に応じず、スペイン国王フェリペⅡ世に援軍を要請したとされる。当時のマニラとマドリード間の通信事情では、急いでも往復一年以上はかかったはず。一方の秀吉は朝鮮出兵を優先したため、フィリピン侵攻に取り組む余力はなく、結局、マニラ攻めは立ち消えになった。「太陽の沈まない帝国」を率いたフェリペⅡ世。天下統一を果たした豊臣秀吉。スケールは大きく違うし、出自も対照的だが、ともに「天下人」として栄華を誇り、一五九八年に没した同時代人だった。マニラの情勢を通じて、お互いに意識し合った瞬間があったのではないか。

ガレオン貿易への参入狙う？

日本は、織豊時代の後期と徳川時代の初期に、外国人宣教師らの後押しを受けて、歴史に残る二つの使節団をヨーロッパに派遣している。

一つは「天正遣欧少年使節」である。九州の大友宗麟や有馬晴信ら有力キリシタン大名が、その名代として伊東マンショ、千々石（ちぢわ）ミゲルら受洗した少年四人をローマ教皇のもとに送り込んだ。イタリ

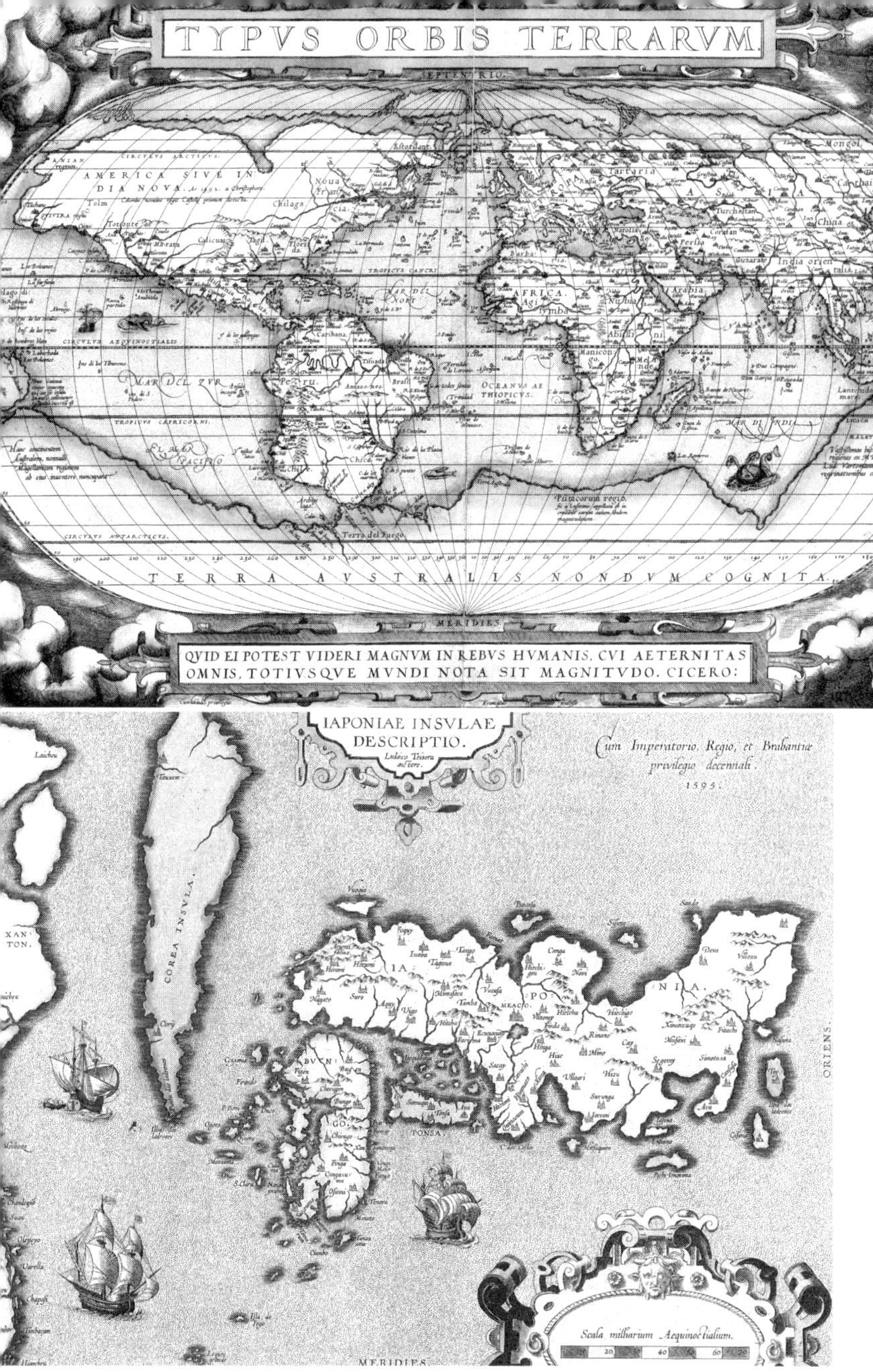

上：オルテリウスの世界地図（1570年）。天正遣欧少年使節がヨーロッパから持ち帰り、秀吉に献上された。
下：オルテリウスが描いた日本地図（1594年）

ア出身のイエズス会士アレッサンドロ・ヴァリニャーノの助言で、カトリックによる日本布教の支援を要請するとともに、少年たちにヨーロッパのキリスト教社会を見聞させるのが目的だったとされる。

使節は総勢約三〇〇人。ポルトガルの大型帆船で、一五八二年に長崎を出航、インド洋から喜望峰をまわってイベリア半島のリスボンへと向かった。スペインのマドリードでは、国王フェリペⅡ世のもとを訪れる。当時六歳だった息子で、のちの国王フェリペⅢ世も同席した。ローマで教皇に謁見するなどし、長崎に戻ったのが一五九〇年。ポルトガルが開いた航路を八年がかりで往復する大旅行だった。

持ち帰ったヨーロッパ土産の中に、グーテンベルクの活版印刷機や、アブラハム・オリテリウス（一五二七～九八年）による一五七〇年出版の世界地図帖があり、秀吉に献上された。地図は秀吉の世界観に影響を与えたに違いない。「唐、天竺、南蛮」の向こうには、大きな世界が広がっていることをはっきりと認識したはずである。地理学者オリテリウスは今日のベルギー出身で、近代地図製作の創始者として歴史に名を刻む人物だ。

もう一つのミッションは「慶長遣欧使節」だ。仙台藩主の伊達政宗が、一六一三年、スペイン人宣教師ルイス・ソテロを正使に、臣下の支倉常長（はせくら）（一五七一～一六二二年）を副使にし、幕府の認可を得て派遣した。一八〇人が乗り組んだ。目的は「友好関係の促進」だが、真意はマニラとアカプルコを結ぶガレオン貿易への参入を図ることだったとされる。スペイン側は本心では、日本の参入でガレオン貿易の独占が崩れることに警戒感を抱いていた。

この使節団の特徴は、仙台藩が内々にスペイン人技師の協力を得て、日本で初めて独自に建造したガレオン船「サンファンバウティスタ号」に乗船したことだ。太平洋を横断し、ヨーロッパへと渡る

上の2点：ローマで描かれた支倉常長（Claude Deruet画、1617年）。右側の下に描かれているのが、日本で最初に建造されたガレオン船「サンファンバウティスタ号」で、右の絵はそれを拡大したもの。帆の先端に、支倉の旗（オレンジ色の旗に赤い鉤十字）が描かれている。

下：日本の朱印船を描いた絵馬（寛永11年〔1634年〕、長崎市立博物館蔵）。江戸時代初期まで、御朱印船貿易によって東南アジア各地に日本人町が形成された。

スペイン航路を使った。帰路は、アカプルコからマニラを経由するコースをとった。帰還は一六二〇年で、七年がかりの巡航だった。

しかしながら、国内の事情は変化していた。徳川幕府は、貿易振興と禁教を折々に強めたり弱めたりしながら、一六一六年には禁教政策を強化した。外国との貿易にも制約を課し、家康の死去も相まって急速に対外封鎖体制へと傾いていく。

遣欧使節の正使ソテロは、帰途、事態を察してマニラにとどまり、その後、日本へ密かに入国するが捕らえられ、一六二四年に火あぶりの刑に処せられた。この年、スペイン船の日本来航も禁止される。政宗の目論みはついえた。

「南洋」の日本人町

織豊から江戸初期に至るあいだの貿易振興策の後押しで、朱印船貿易が本格化するにつれ、「南洋」各地に日本人町が形成される。その数は、少なくとも計七か所。今日のベトナム中部のホイアン、ダナン、タイのアユタヤ、カンボジアのプノンペンやピニャール、そしてマニラなどだ。

徳川幕府による対外封鎖体制が確立する一六三〇年代末までに、海外に出た日本人は、延べで推計一〇万人とされる。各地の日本人町が人口規模でピークを迎えたのは一六二〇年代で、総計五〇〇〇人に達したとみられている。主に商人や船員、さらには密航者、関ヶ原の戦いの敗残者、亡命キリスト教徒らだった（本章の扉を参照）。

最大だったのがマニラで、三〇〇〇人規模に膨らんでいた。全体の六割を占め、二番目のアユタヤより二倍多かった。マニラの日本人住民は、平戸や長崎から貿易船が往来するようになる一五八〇年代に三〇〇人に達し、その後の約四〇年で一〇倍増えた。

当初はバラバラに住んでいたようだ。だが、秀吉が総督に恫喝書簡を送ったのちの一五九二年、スペイン政庁は日本人を監視下に置くためマニラのディラオ地区に集住させた。これが日本人町形成の始まりだった。次いで、徳川幕府がキリシタン国外追放措置を強化した一六一四年、大坂の高槻城主だった高山右近らがマニラに身を寄せたころ、主にキリスト教徒を集めた第二の日本人町がサンミゲル地区にできた。マニラのスペイン当局は、増大する中国人社会に対する牽制勢力として日本人町の存在を利用した側面もあったとみられる。

カトリックの宣教師は、マニラをはじめ南洋各地の日本人町での布教にも重点を置くようになり、日本人を宣教師として朱印船で長崎などに送り込む方策を講じた。

こうした状況を背景に、徳川三代将軍の家光（在職一六二三～五一年）は在外邦人の帰国を禁じ、さらには日本船の海外渡航禁止へと対外封鎖体制をエスカレートさせていった。男性が中心だった各地の日本人町は衰退し、やがて現地社会にのみ込まれるようにして消滅する。民間交流で始まった日比の関係は、国家間の事情に翻弄されながら展開される。

終章

大航海時代とマゼラン、そしてアジアのその後

［扉図版］

2021年12月16日夜、スーパー台風の直撃で、先端が吹き飛ばされてしまった「マゼラン記念塔」（著者撮影）。左は、吹き飛ばされる前の記念碑（東京の旅行会社「フレンドシップ・インターナショナル」の現地スタッフ撮影）。マクタン島には、マゼラン記念碑とラプラプの立像が、公園として整備されたエリアに設けられていて、観光の目玉の一つになっている。

アジアでは、古代から二つの文明が栄えた。インド文明と中国文明だ。その中間に位置するのが、今日の東南アジアである。そこは広く東西を結ぶ文明の十字路で、民族の枠を超えたという意味の「世界三大宗教」が隣り合わせに併存している。ざっくり言えば、大陸部は仏教が、海域はイスラーム教が、そして東南アジア東端のフィリピンはキリスト教が多数派を占める。交易のネットワークに乗って伝わり、為政者は宗教を統治のツールにしてきた。

三大宗教のなかで、一番遅れて入り込んだのがキリスト教だ。大航海時代にスペインが持ち込み、その先の東方に位置する日本へはポルトガルが伝えたのである。

1……実利で受容、ポジティブリストで対応

日本でのキリスト教の布教は、イエズス会士のザビエルが口火を切ったこともあって、ポルトガル系の宣教師が主導した。ザビエルは、ポルトガルが占拠していたインドのゴアからマレー半島のマラッカ経由で薩摩にやって来た。一五四九年から滞在二年ほどで、「獲得した信者は七〇〇人」だったと言われる。しかし、イエズス会の創設メンバーで海外布教に燃えていたザビエルにとっては、不満が残る数字だったらしい。

ザビエルはメガネも持ってきた

マラッカで会った日本人を通訳兼案内役として同行させ、外来の宗教概念を「大日如来」「観音」などの用語を使って説いたという話は有名だが、東京メガネミュージアムによると、日本に最初にメガネを伝えたのもザビエルだった。周防（現・山口県）の大名・大内義隆に謁見し、望遠鏡や鏡、小銃などとともにメガネを献上。一五五一（天文二〇）年に日本を離れる直前にも、豊後（現・大分県）の大名・大友義鎮（のちに「宗麟」と号す）にメガネを贈った。このメガネは残っていないが、後年、徳川家康が愛用した「南蛮渡来のメガネ」は現存し、静岡県の久能山東照宮博物館に収蔵されている。「目器」と呼ばれる手持ちタイプの鼻眼鏡だ。

異国の珍しいお土産を持参して有力な大名に接近し、トップダウンで布教活動を展開する。ザビエルに続いて日本に来た宣教師たちも、まずは大名クラスのキリスト教化に力を入れ、配下の住民へと広める方式で信者を増やしていった。布教は、南蛮貿易とセットで進められた。シナ海に目を向ける西国大名たちにとっては、キリスト教の受容は交易ルートにつながる実利があったからだ。

この点で、フィリピンに来たスペインの布教戦略も、似たり寄ったりだった。ザビエルより三〇年ほど前の一五二一年に、セブ島に上陸したマゼラン船団は、お土産作戦とともに和戦両様の構えで首領ラジャ・フマボンに近づき、周辺の有力者も取り込み、トップダウンでわずか数日のうちに計八〇〇人にキリスト教の洗礼を施した。「獲得」した信者数では、ザビエル一行が日本で二年かけて七〇〇人だったのに比べると、マゼラン側は大成果を得た。

当時、仏教が根を張っていた日本と、アニミズムが主流だったフィリピン中部地方との背景の違いは無視できない。加えて、第3章で触れたように、セブはすでに海域アジアの交易ネットワークにつながっていたが、フマボンは遠い異国からの船団の来島と外来宗教が、交易圏の拡大とともに権勢強化にもなると実利を見込んだからではなかったか。

もっとも、マゼラン側にすれば、めざす香料諸島への途中に思いがけずセブ島に立ち寄っただけで、布教は、いわば「おまけ」だったのかもしれない。船団のスペイン出航時から同行した司祭の数は、デジタル化された名簿で調べたかぎり三人だけで、セブ到着時点では一人しか生き残っていなかった。船団の遠征目的は、あくまでもスパイス獲得ルートを開拓し確保するのが第一で、布教は副次的だったのではないか。司祭の主な役割は、航海中のミサや葬儀など乗組員向けの宗教サービスだったと推察できる。

洗礼を受けた住民の側も、当初は、地元の伝統的なアニミズムに新たに外来の「神」が加わったという受けとめだったようだ。実際、マゼランがマクタン島で討死すると、フマボンは船団の意図に疑念を抱き、計略にかけて乗組員幹部二〇人超を殺害してしまう。あわてて島から逃げ出す船団の生き残り組を遠目に、住民たちは、「〔浜辺に立てられていた〕立派な木の十字架を、狂ったように激しい勢いで粉々に破壊してしまった」というのだ。このあからさまな手のひら返しの光景を、トランシルヴァーノが遠征調書に記録している。しかし、どうしたわけか、ピガフェッタの航海記にはこの場面の記述はない。

フィリピンのキリスト教化が本格的に進むのは、五〇年後の一五七一年からマニラを拠点にスペインによる植民地統治が始まってからである。スペインの布教活動は、この時も基本的にトップダウン方式で、宣教師は土地の言葉を学び、アニミズムなど地元の伝統的な信仰を「悪魔」「迷信」と排斥しながらも土着信仰にまつわる用語を援用して福音を説いた。

日本の場合はどうか。

織田・豊臣・徳川へと続く政権は、ポルトガルやスペインとの南蛮貿易を歓迎したが、セットで展開されるキリスト教の布教活動に対しては次第に警戒感を募らせ、禁教政策を強化していく。実利優先で便宜的にキリスト教の衣をまとっていた地方大名たちの中には、政権中央の意向を察知して抜け目なく信仰を捨てる者が少なくなかった。幕命を受けて信者弾圧に狂奔する「元キリシタン大名」も出現する。

しかし、信仰を深めた大名の一部は苦しんだ。取り潰しに遭ったり、追放されたりする大名もいた。一六一四年末、マニラに追いやられた摂津高槻（現在の大阪府）の城主・高山右近（一五五二～一六二五年）は、その代表例だ。右近はマニラの地を踏んだものの、失意と熱帯の気候で衰弱し、長崎出発からわずか四〇日ほどで客死する。

新教国オランダとの邂逅

日本に、意外な形でやって来たのはオランダだった。一六〇〇年四月、豊後の臼杵に三本マストの帆船が漂着する。オランダのリーフデ号（一五〇トン）だ。

現地からの通報で、長崎奉行が取り調べた。約二年前にオランダの港ロッテルダムを五隻で出航し、アジアに向けてマゼラン・ルートで太平洋を横断したが、途中、海賊に襲われたり壊血病に苦しんだりし、残ったのはリーフデ号一隻だけだった。出航時の乗船者は一一〇人だったが、二四人までになってしまった。そのうちの四人は、漂着から数日後に死亡する。マゼラン船団と似たような苦い経過をたどったすえの九州漂着だった。当時、九州にいたイエズス会の宣教師たちは、新教プロテスタントの国であるオランダ船の漂着の情報をつかむと、宗教上のライバルである彼らの処刑を日本当局に強く求めたという。

関ヶ原の合戦の半年前のことである。豊臣秀吉の指示で接見したのが、家康だった。

史実によると、家康は彼らに布教の意図がないと見て命乞いに応じた。積み荷に羊毛のマントがあるのを知り、関心を示したという。来るべき冬場の戦場で役に立つと先読みしたのだろうか。家康の目の付け所には感心すべきだが、関ヶ原の戦いはわずか半日で決着がついた。

漂着者の中に、のちに家康が取り立てる、オランダ人航海士のヤン・ヨーステンやイギリス人のウイリアム・アダムスがいた。ヤン・ヨーステンは「耶揚子（やよす）」の名をもらい、その後「八重洲（やえす）」を名乗るようになる。今日の東京・八重洲は、彼にちなんだ地名である。もう一方のウイリアム・アダムスは、家康の外交顧問を果たし、江戸湾の入口に位置する三浦半島の一角に領地を下賜され「三浦按針」と称したことは広く知られている。

新教国は「貿易歓迎、布教不要」という幕府の方針に都合がよかった。スペイン支配から脱したオランダは、一六〇二年に東インド会社を設立し、インドネシアのバタビア（現ジャカルタ）を拠点にアジア貿易を展開する。徳川幕府はオランダと遭遇したことで、貿易相手をスペインやポルトガルからオランダへと徐々に切り替えていった。

こんなエピソードも残っている。九州西部で、一六三七年、島原・天草のキリスト教徒の領民が決起した反乱に際し、徳川幕府は長崎の平戸に貿易拠点を築いていたオランダ商人に武装した船で反乱鎮圧に向かうよう要請を出す。キリスト教に対するオランダの姿勢を試したのだ。いわば、一種の踏み絵だった。オランダ商人は要請に応え、島原沖の海上から砲撃を加えてみせ、幕府に恭順の意を示した。

「鎖国」が自給自足化を促す

学校の教科書で習ってきた「鎖国」は、徳川三代将軍の家光（在職一六二三〜五一年）に完成する。しかし、全面的に国を閉じたわけではない。外に向けて「四つの口」は開いていた。オランダ船と中国船が出入できる長崎口（出島）、琉球が相手の薩摩口、朝鮮との対馬口、蝦夷地（北海道）で主にアイヌ民族と交流する松前口だ。相手を限定し、四つの口は認め、その他は封鎖する。原則禁止で、例外を認める。いわば「ポジティブリスト方式」による選択的対外封鎖体制である。ダメなもの、つまり「ネガティブリスト」を指定し、あとはすべて認める方式とは対極のやり方である。

余談だが、鎖国という言葉が登場するのは、一九世紀に入ってからのこと。出島にいたドイツ人医師エンゲルベルト・ケンペルが日本の風俗や動植物の見聞記『日本誌』を著し、元オランダ通詞の志筑忠雄が、一八〇一年、付録論文を翻訳して「鎖国論」とするタイトルをつけたのが最初だった。

日本は一七世紀初頭、主に中国産の綿や生糸、絹製品、砂糖、茶などを輸入していた。鉄砲の砲弾・砲薬づくりに使うタイ産の鉛や中国産の硝石も必要だった。石見銀山（現・島根県。幕府の直轄地で、最盛期は一六世紀から一七世紀）などを抱え、支払いにあてる豊富な銀があった。ところが銀の産出量が減りだすと、輸入事業の先行きは怪しくなり、国産化の必要に迫られていく。かくして、ポジティブリスト方式で選択的対外封鎖体制を取りつつ諸産業の輸入代替化をはかったのだ。結果的に「鎖国」は日本の自給自足化を促した。

ポルトガルの火縄銃が、一五四三年に種子島に持ち込まれてから約一〇〇年。いちはやく国産化と量産化を果たし、戦国時代を経て江戸時代初期には世界的な鉄砲大国になっていた。だが、戦乱の世が終焉を迎えると、蓄積された鉄砲を全面的に廃棄する大軍縮を断行したのも徳川体制だった。鉛も硝石も、鉄砲の実戦用には必要なくなったのだ。

一方で、フィリピンをはじめ東南アジアは、次々とヨーロッパ勢力の植民地支配下に置かれていく。独立を維持した日本も含め、アジア各地で起きたこうした展開は、大航海時代の産物だった。

2……パンデミックが大航海時代への道を開いた

私たちが住む大地は、円盤状なのか、球体なのか。ピタゴラスやヘロドトス、プラトンといった古代ギリシアの哲学者や歴史家はいち早く「地球球体説」を唱えていたが、長いあいだ、証明する術はなかった。マルコ・ポーロも地球は丸いと信じ、フィレンツェの地理天文学者で数学者だったパオロ・トスカネリは、一四七四年に「球体説」を主張してコロンブスに影響を与えたとされる。

どこにも「怪物」はいなかった

球体説へと向かう下地はあったが、それを実証したのがマゼラン＝エルカーノ遠征隊だった。彼らの「功績」はいくつもあるが、何よりも地球が丸いことが証明され、円盤状だとする平面説は完全に説得力を失った。

二つ目は、船だけの手段で地球を一周したこと。すなわち、世界の海はすべてつながっていることを、初めて実証したのだ。そして、太平洋がいかに広いかをおおむね把握した。

　三つ目は、彼らが航行した地域には人間が暮らしており、「怪物」はいない事実を理解したこと。当時のヨーロッパでは、海の向こうの世界、とりわけ遠いインディアス（アジア）には、奇怪な生き物がいる、と信じられていたという。トランシルヴァーノの遠征調書は、全二〇章から成るが、その第一章でまず、「怪物のような人間には一度も出会ったことも見たこともない」と特筆し、「昔の文筆家たちが書き残している事柄」は創り話だと強調している。

　船で大海の向こうへ乗り出す契機になった重要な背景に、スパイスを確保したいというヨーロッパの人びとの希求があったが、その遠因の一つとして、中世一四世紀のヨーロッパ社会を恐怖に陥れた感染症「ペスト」の大流行もあげなくてはならない。今流に言えばパンデミックである。

　では、なぜそれが大航海時代に結びつくのか。

　ネズミが媒介するペスト菌の感染ルートは諸説ある。ドイツのマックス・プランク進化人類学研究所のチームが二〇二二年、人骨とペスト菌のＤＮＡを復元して解析し、流行の起点は中央アジアのキルギスと中国にまたがる天山山脈周辺にあるとの説を打ち出した。現在、最有力視されている見解だ。商人らが、黒海沿岸のクリミア半島を経由して地中海ルートで運んだとみられる。死者は二五〇〇万人～五〇〇〇万人にのぼったとされ、皮膚が黒くなって亡くなるため「黒死病」と恐れられた。正確な数字は不明ながら、当時のヨーロッパ総人口一億人（推定）の、二分の一ないし四分の一に当たるとも言われるから、人びとが深い絶望の淵に突き落とされたのも当然だろう。

ルネサンスから対抗宗教改革へ

絶望の奈落から、希望の光を見いだしたい。パンデミックは、改めて人間の生き方を真剣に問い直す契機にもなった。人間社会の「再生」への道を求める動きが生まれ、イタリアから始まる「ルネサンス」へとつながっていく。

ルネサンスは、西洋世界の精神的かつ文化的な支柱として君臨してきたローマ教皇の権威に、公然たる異議申し立てを呼び起こした。キリスト教界の宗教改革だ。新教プロテスタントの登場だが、危機感を募らせた旧教カトリックの側も刷新に取り組むようになる。いわば「対抗宗教改革」である。

これが、西洋における中世から近世への道を開いたのだった。

パンデミックが回りまわって対抗宗教改革を促し、旧教勢力は海外に目を向け、失地回復と新天地獲得の欲望をたぎらせて、大航海時代を推し進めていく。紙と活版印刷技術の進歩が情報伝達の迅速化と広域化をもたらし、火薬や羅針盤の発達・改良が未知の世界への進出を加速させた。

三つの大洋がつながる

大航海時代は、一般的に一五世紀から一七世紀の半ばごろまでを言う。一四一五年、ポルトガルがセウタ（現スペイン領）に攻め込み占領した。そこは、アフリカ大陸北西端のモロッコに隣接した港湾で、地中海と大西洋を結ぶジブラルタル海峡の要衝だ。同大陸西岸を南下して東へと向かうポルトガル、大西洋を西進するスペイン。二つの旧教勢力が世界を二分して領土と資源の獲得競争を展開しつつ新時代を切り開いた。これに新教勢力のオランダやイギリス、フランスなどが続き、進出先で角逐も起きる。

それから二四〇年あまり。荒々しい外洋航路の開拓競争は、一六四八年、ウェストファーレン条約の締結をもって一応終結する。この条約が、一六一八年に神聖ローマ帝国のドイツに端を発しヨーロッパ全土を巻き込んだ民族・宗教・領土をめぐる三〇年戦争を終わらせた。「神聖ローマ帝国の死亡診断書」とも形容できる条約だった。

この時代に、人類史上初めて大西洋とインド洋、そして太平洋の三大洋がつながり、ヨーロッパ大陸、アフリカ大陸、アジア大陸、アメリカ大陸の四大陸が結ばれた。世界の一体化が進み、各地が密接に響き合う「世界史」が時を刻み始める。

では、ヨーロッパ史が世界史なのか。

3……アジアの豊かさに引き寄せられる

アジアに目を転じると、異なる側面が見えてくる。早くも一三世紀後半、モンゴル帝国の皇帝フビライ・ハンが仕立てた艦隊が、南シナ海からジャワ海やインド洋に遠征した、という史実が浮かび上がる。初めて遠洋の南方航海ルートを開いたのだ。内陸の遊牧国家モンゴルの初代皇帝チンギス・ハンの孫にあたるフビライ・ハンは、中国に元朝を興し、南宋を征服して海軍力を手に入れる。その勢いで今日のスリランカなど南海諸国に入貢を促し、海外拡張政策を展開した。

鄭和の「南海大遠征」

これに続いたアジアの大規模な遠洋航海は、一〇〇年あまり後の一五世紀初頭、中国の明朝の第三代皇帝・永楽帝（在位一四〇二〜二四年）が送り出した、鄭和（ていわ）の船団だ。雲南出身のイスラーム教徒で宦官（かんがん）の鄭和を総指揮官にした「南海大遠征」の船団は、三〇年ほどのあいだに計七回の航海を実行する。鄭和にまつわる話は謎に満ち、誇張も多いとされるが、最大時の船団は全長約一四〇メートルの「宝船」と呼ばれる大型帆船ジャンクを六〇隻あまり連ね、計二万五〇〇〇人以上もの兵員を乗せていたというから驚くほかない。

鄭和の船団は、南シナ海からインド洋を経て、アラビア半島の南端をたどり、アフリカ大陸の東海岸マリンディに到達する。今日のケニアの海岸都市である。武装兵士も乗り組んだ一種の「砲艦外交」だった。朝貢のネットワークづくりが主な目的とされる。

そのマリンディに西洋勢力が初めて到達したのは、記録が残っているかぎり、鄭和から八〇年あまり経った一四九八年のことだ。バスコ・ダ・ガマがインド航路を開く途上に立ち寄った。ガマの船団は、計三隻に乗組員六〇人ほどの編成だったことを考え合わせると、鄭和の船団の巨大さが際立つ。

商船一隻はラクダ二〇〇〇頭に匹敵

中国史家だった東北大学の寺田隆信教授（一九三一〜二〇一四年）の研究によると、陸上のシルクロードで荷を運んだラクダの輸送力に比べれば、海上の商船一隻は、ラクダ二〇〇〇頭に匹敵したという。

フビライ・ハン派遣の艦隊や鄭和の船団が出航した主要港が福建の泉州だった。中国南東部の台湾海峡に面し、古くから海外交易の要衝として栄えた。一三世紀にベネツィアの商人マルコ・ポーロが訪ね、一四世紀にはモロッコの冒険旅行家イブン・バットゥータも立ち寄ったことは先述した。中世アラブ世界のファンタジー『アラビアンナイト（千一夜物語）』の船乗りシンドバッドが活躍する舞台の一つとされる（シンドバッドという名前は、アラビア語で「インドの風」を意味し、インド洋航路の交易網を舞台に活躍したイスラーム商人の群像を象徴する人物として命名されたもの）。

そもそも、遠洋航海に不可欠な羅針盤をはじめ、紙や印刷術、火薬などは古代中国の発明とされ、ペルシャやアラビアを経てヨーロッパへと伝わった。文物は、東から西へと動いていたのだ。

イギリスの経済学者アンガス・マディソン教授（一九二六～二〇一〇年）の推計だと、一八二〇年時点でインドと中国の国内総生産（GDP）は世界全体の四四・七％を占めていた。ヨーロッパ諸国全体のGDPの合計が中国を超え、力関係が逆転するのは一八〇〇年代半ば以降のことだという。それまでは、インドと中国を中軸にしたアジア圏が世界経済を引っ張っていた。

東洋の物品には特別の魅力

「大航海時代」とは、西ヨーロッパ勢力がアフリカ、アメリカ、アジアへと、その豊かさに引き寄せられるようにして侵出した時代だった。高緯度のヨーロッパは亜熱帯や熱帯圏に広がるアジアに比べ、土地の収量力が低かった。オーストリアの伝記作家ツヴァイクは、小説『マゼラン』のなかで、中世のヨーロッパ人にとって、香辛料をはじめ絹製品や陶磁器、装飾品にいたるまで東洋の物品には特別の魅力があったと指摘している。遠隔の地は想像力を刺激し、異国趣味もくすぐった。「アラビアの」「ペルシャの」「ヒンドスタン(インド)の」という言葉には、「豊かな」「洗練された」「上品な」「宮廷風の」「貴重な」「高価な」といった形容詞と同義だったとツヴァイクは書く。

ヨーロッパは、アフリカ、ラテンアメリカを植民地支配下に置いて収奪した富を蓄積し、一八世紀後半から一九世紀にかけてイギリスで始まる「産業革命」を梃子に、アジアの経済を凌駕していく。ある試算によると、ヨーロッパ勢力は一八〇〇年代に地球の陸地の三五%を支配し、それは第一次世界大戦が始まった一九一四年までに八四%に拡大した。

コロンブス、ガマ、マゼランらの航海を、欧米諸国は「世界三大航海」と位置づけ、「(地理上の)大発見時代」(Age of Discovery)と呼んできた(次節「4」を参照)。だがそれは、「発見された側」からすれば「大虐殺の時代」であり、「大略奪の時代」でもあった。

一六世紀初頭、スペインの宣教師バルトローメ・デ・ラス・カサス(一四八四~一五六六年)は、カリブ海の植民地でカトリックの布教活動に従事したが、その後、先住民支配の残虐性に気づき「人道犯罪」を告発する。時のスペイン国王は、マゼラン船団をアジアへと送り出したカルロスI世だった。ラス・カサスの声は、領土拡張に突き進むコンキスタドール(征服者)たちの勢いにかき消されてしまう。

マゼラン・エルカーノ遠征隊も各地で乱暴狼藉を働いた。現代の視点にたてば、強盗、殺人、放火、拉致の数々。ピガフェッタは、そうした場面を淡々とした筆致で綴っている。

時代の犠牲になった野生動物も少なくない。代表的なのは、太平洋のガラパゴス諸島に生息するリクガメやインド洋に浮かぶモーリシャス島で繁殖したドードー鳥だ。リクガメは飲まず食わずでも何カ月も生き続ける。肉厚のドードー鳥は空を飛べず、ヨタヨタと地を歩く。いずれも捕まえやすく食肉に適していたから、遠洋航海者たちの格好の餌食になり乱獲された。ドードー鳥は絶滅にいたった。

毛細血管を大動脈が飲み込む

地表面の三〇％は、陸地だ。あとの七〇％を海が占める。海は人と人、土地と土地を隔てる障害だが、それらをつなげる通路にもなる。

アジアの海は、大航海時代が始まるずっと以前から、沿岸部に暮らす人びとのさまざまな船が行き交うにぎやかな海だった。三角帆を張ったアラビアやペルシャのダウ船、中国のジャンク船。そしてマレー海域や太平洋諸島ではアウトリガー（舷外浮材）で安定を保つ工夫をこらした「バランガイ」や「プラウ」などと呼ばれる船が人を運び、荷を運び、情報を運んだ。できるだけ海岸線をたどって帆走するのだ。風をとらえ、外海に出れば海流に乗り、太陽と星を道しるべにしてきた。

歴史を振り返れば、フィリピンをはじめマレー海域の人びとは、原郷をともにするオーストロネシア語族である。その故地は中国南部から台湾にあり、ざっと六〇〇〇年前ごろから南下し東西に拡散したとされる。西はアフリカ大陸東海岸沖のマダガスカル島から、東は南米大陸西海岸沖のイースター島へといたる一帯に広がってきた。世界で最も広範囲に移動したのがオーストロネシア人だった。

彼らが営々と張りめぐらしてきた海の道。それを毛細血管とすれば、時を経て展開された大航海時代は、その海に大動脈を築く営みだった。その大動脈はやがて、毛細血管を飲み込んでいったのだ。

4……歴史の見直しを迫る動きのなかで

折れたマゼラン記念碑

マゼランのフィリピン到達は、この諸島の征服、植民地化、キリスト教化への前触れだった。マクタン島の首長ラプラプは、そのマゼランを殺害したことで、のちにフィリピンの「国民的英雄」に祭り上げられ、ナショナリズムのシンボルになる。

マクタン島には今日、公園として整備されたエリアに、マゼラン記念碑とラプラプの立像が設けられていて、観光の目玉の一つになっている。マゼランの到達・殺害から五〇〇周年の二〇二一年四月、当時のドゥテルテ大統領は地元記者団を前にしたスピーチで、ラプラプの立像の高さがマゼラン記念碑より低いことに不快感を表明し、「気に入らない。〔ラプラプの像は〕もっと大きくあるべきだ」と、八つ当たり気味にかみついてみせた。すると、どうしたことか、同年の一二月一六日夜、フィリピン名物の台風がマゼラン記念碑の先端部分を吹き飛ばし、折れてしまった（本章の扉を参照）。中部ビサヤ地方一帯を襲ったスーパー台風「オデット」の仕業だった。

マゼラン後の〝地球一周〟

マゼランと、その死後を受け継いだエルカーノの帆船が、西回りで地球を周航し、スペインの港に戻るまでに一〇八二日を要した。航跡は一万四四六〇レーガ（一レーガは約五・六キロメートル）だったと、ピガフェッタは記している。八万キロメートルあまりだ。約三年かけて、地球の円周を二回りした計算になる。

地球一周、それも早回りが本来の目的ではなかったが、このマゼラン＝エルカーノ遠征隊に続いて世界周航を成功させたとして歴史に記録が刻まれたのは、約六〇年後のことである。イングランド人の私掠船(しりゃくせん)の船長フランシス・ドレーク（一五四三頃〜九六年）が指揮を執った航海だった。ドレークの船団は、当初、帆船五隻の構成で、一五七七年一二月一三日に英国の港を出航。マゼラン船団と同じく西回りで、大西洋、マゼラン海峡、太平洋、マルク諸島、インド洋を航海し、喜望峰経由で帰還した。二年八か月後の一五八〇年九月だった。生還できたのは一隻だけ。ドレークの旗艦ゴールデンハイドン号（三〇〇トン）だった。

「私掠船」とは、いわば「国家公認の海賊船」だ。当時の海洋は、海賊が跋扈(ばっこ)する舞台でもあった。スペインなどの貿易船や海外領土を襲って物資を奪い取ったり、人員を拉致し奴隷にして売り飛ばしたりした。ドレークは、悪魔の化身「ドラゴン」と恐れられ、その異名「ドラコ」と呼ばれたという。帰還後、「功績」を評価され、英海軍の中将に遇される。経験と実力を買われたドレークは、一五八八年、「無敵」を誇ったスペイン艦隊を破るアルマダ海戦にも加わり、指揮権の一端を担った。

時は移り、地球はどんどん狭くなっていく。

『八十日間世界一周』というアメリカ映画があった。一九五六年に公開されてアカデミー賞を受賞した作品だ。日本でも翌年に上映された。フランスの作家ジュール・ヴェルヌ（一八二八〜一九〇五年）が一八七三年に発表した同名の小説が原作である。

英国の資産家が、執事を従え、八〇日間で世界一周が可能か、全財産を賭けて挑む筋書きだ。スリルとサスペンスに満ちた物語である。ロンドンから鉄道や蒸気船を使い、スエズ運河（一八六九年開通）を越え、インドのボンベイ（現ムンバイ）、カルカッタ（現コルカタ）、香港、横浜、サンフランシスコ、ニューヨークなどを経由してロンドンに戻る。ちょうど一五〇年前のことで、当時はまだ旅客機はなかった。

主人公はロンドンに、賭けで想定した日より一日遅れで到着する。負けた、と思ったが、最後の局面でどんでん返しが待っていた。日付変更があったのだ。東回りだったので主人公の時計は実際より一日先んじていたことがわかり、結局、賭けに勝つというエンディングとなる。

マゼラン・エルカーノ遠征隊に同行したピガフェッタは、帰還を目前にしたカーボベルデ諸島で、毎日記録していた日付が一日遅れていたことを知る。西回りだったからである。ジュール・ヴェルヌは、この逆をトリックに使ったのだ。

航空機の時代が来ると、様相は一変する。一九五八年、旅行ジャーナリストの兼高かおる（一九二八～二〇一九年）は、飛行機での世界早回りに挑んでいる。羽田を出発し、スカンジナビア航空などを使ってバンコクから、カラチ、ローマ、コペンハーゲンへと飛び、アンカレジ経由で羽田へ帰るルートで、七三時間九分で達成した。当時の世界新記録だった。

国際線を運航する航空会社によると、現在では、民間の旅客機は地球をぐるりと一周するだけなら、乗り継ぎ時間も含めて五〇時間あれば十分だという。

「大発見時代」と「大航海時代」

「ホモ・モビリタス」（Homo Mobilitas）。ヒトは移動する動物である。必要に迫られ、欲望に駆られ、好奇心を掻き立てられ……。陸を、海を、ヒトは移動し、「発見」もしてきた。

歴史に「（地理上の）大発見時代（Age of Discovery）」が記される。では、誰が何を「発見」したのか。「発見された側」はどう思ったのか。

「発見」に代わる、ヨーロッパからの一方的な視点ではない表現はないのか。そこで登場したのが「大航海時代（Age of Navigation）」という名称だった。一九六〇年代前半に、日本の研究者による命名だった。岩波書店がコロンブスなどの「航海の記録」の出版を準備していた折りに、ラテンアメリカ史が専門の歴史学者で東京大学助教授だった増田義郎（一九二八～二〇一六年）らが翻訳・編集の過程で考案し再定義した用語だった。増田氏らが中心になった『大航海時代叢書』（全一一巻）の一巻目が、『コロンブス、アメリゴ、ガマ、バルボア、マゼラン　航海の記録』である。一九六五年に出版された七〇〇ページを超す大著である。

西欧中心史観に対する批判、歴史認識の抜本的な見直しを迫る動きは、とりわけ第二次世界大戦後に広がっていく。永く西欧による植民地支配下に置かれてきたアジアやアフリカの国々の独立、民族自決を求める運動の高まりが背景にある。「反帝国主義」「反植民地主義」を掲げた「アジア・アフリカ会議」が、インドネシアのバンドンで開かれたのは一九五五年四月だった。アフリカ諸国が次々に独立する一九六〇年代に入ると、旧宗主国のイギリスやフランスをはじめヨーロッパでも「西洋中心主義」への自己批判が繰り広げられる。そうした展開の延長として、新たな名称が求められた。

「大航海時代」という用語は、日本では次第に広く定着するようになり、今日にいたる。しかしながら欧米では、現在もなお「大発見時代」が一般的に使用されている。「ヨーロッパ史こそが世界史」との意識は根深く残っているのであろう。

それでも押し返し、押し返され、時に穏やかに、時に激しく、世界の各地で歴史の見直しを迫る動きは連綿と続いている。

ささやかながら、私もそうした動きに連なりたいとの思いを込めて本書をまとめた。

あとがき

アフリカ大陸の南端に、ゆるくカーブした岬がある。喜望峰だ——東経一八度二九分、南緯三四度二一分。私が初めてそこを訪れたのは、もうだいぶ前のこと。新聞記者になって最初の海外駐在がケニアの首都ナイロビで、一九八六年八月に赴任した翌月、南アフリカ共和国へ取材に出た。ひと段落し、いの一番に向かったのが喜望峰だった。

中学生のころ、社会科の教科書で習ったこの名前が頭に刻み込まれていて、いつか行ってみたいとずっと思っていた。

港町ケープタウンの中心部から、南へ約七〇キロメートル離れている。レンタカーで向かった。荒涼とした風景が続く。ケープ半島は、いつも強い風に晒されているからだろうか、頭を垂れているような格好をした低い灌木の林が広がっていた。途中、ところどころで海岸が見える。ペンギンやオットセイの群れに目をやるなどして、一時間半ほど走っただろうか。

これが喜望峰かぁ——。目的地に着いて思わず口にしたが、気分は複雑だった。その岬に、とくに何があるわけではなかった。南半球の九月は冬。黒々とした海が広がり、潮風が吹きつける。展望台に立ってみた。脇に、公衆電話があった。南アフリカの通貨ランドのコインを入れて、ダイヤルを回すと、コレクトコールで東京の友人にすんなりつながった。「今、どこにいると思う?」。数分ほど、たわいのない話をして受話器を戻したら、コインが返ってきた。これにはいたく感動した。もっとも、通話代は友人に請求されるのだが。「思えば遠くきたもんだ」。中原中也の詩(「頑是ない歌」)の一節が頭に浮かぶ。

喜望峰に、初めてポルトガルの航海士バルトロメウ・ディアスが到達したのは、一四八八年だった。アジアとの交易ルートを探る狙いがあったが、ディアスは嵐に遭い、そこを「嵐の岬」(Cabo das Tormentas)と呼んだという。ポルトガルの国王は、インド洋への航路を開く手がかりを得たと知り、「希望の岬」(Cabo da Boa Esperanca)と名付ける。これを踏まえ、英語では「ケープ・オブ・グッド・ホープ」(Cape of Good Hope)と称し、南アの公用語アフリカーンスだと「カアプ・ディ・フェイ・ファプ」(Kaap die Goeie Hoop)という。

日本では、なぜか「喜望峰」と書く。この名称は明治時代に定着したらしい。理由は不明だが、Hopeが「ホー」と聞こえ、「峰(ホウ)」の字を当てたとの説がある。

一九八八年は、ディアス到達五〇〇周年だった。この時も、私は喜望峰を訪ね、台湾から来たという観光客の一団に出会った。話しかけると、ここは中国語で「好望角」と書くという。日本での呼称をメモ帳に走り書きして見せたら、年配の男性が「『喜』がいいね。気持ちが明るくなる」と応じ、しばし漢字談義で盛り上がった。

当時の南アフリカは、白人政権下のアパルトヘイト(人種隔離)政策時代だった。「チャイナ」と言えば、台湾が「友好国」で、北京とは国交がなかった。多くの国が経済制裁を科しており、外国からの観光客もごく限られていた。

ケープ半島の突端は「ケープポイント」で、車でさらに一〇分ほどかかる。坂を上ったところに、ポツンと灯台が立っている。その先をじっと眺めていると、寄せ来る波と風が地球の鼓動を運んでくるのを感じる。ケープポイントまでの一帯は、現在、自然保護区として整備されて遊歩道などが設けられ、ポスト・アパルトヘイトの南ア観光の名所として賑わっている。

アフリカ大陸の最南端は、喜望峰ではない。最南の地は、東経二〇度〇一分、南緯三四度八三分に位置するアガラス岬だ。喜望峰から南東へ一五〇キロメートルほどの地点にあり、海を正面に見て右側が「大西洋」、左側が「インド洋」と英語で印されたマーカーが目を引く。

ポルトガル人の航海者バスコ・ダ・ガマが、一四九八年、ここを回ってインド西海岸のカリカットにたどり着いた。ヨーロッパの視点に立てば、アガラス岬越えは大航海時代の本格化への扉を押し開く画期的な出来事だった。

私は、一九七〇年から七七年まで、フィリピンのマニラで遊学生活を送った。この間に南アジア各地を旅したことがある。インド東海岸のマドラス（現チェンナイ）からバスと電車を乗り継いで内陸を抜け、西海岸の港町ゴアに出た。ゴアは当時、ポルトガルによる四五〇年間にわたる占領からの撤退後、十数年しか経っておらず、熱帯植民地特有のけだるい残り香が漂っていた。欧米から放浪の旅に出たヒッピーたちのたまり場でもあった。彼らを横目に、ゴアの海岸で野宿をしながら数日過ごし、夕方、定期船でボンベイ（現ムンバイ）に向かう。船は夜通し航行し、明くる朝、港に入った。

ボンベイ港から歩いて街へ行く。途中、露店でチャイ（紅茶）をすすりながらひと休みしていると、「アフリカへ行くのかい？」と、店の前を通りかかった若者が話しかけてきた。

意外だった。思ってもいなかった地名を耳にし、私はちょっと驚いたが、改めて地図を見て納得する。目の前の海はアラビア海だ。目を閉じれば、その先にアラビア半島がどっしり構え、広大なアフリカ大陸へと続く構図が浮かぶ。そうかぁ、ボンベイからアフリカへは案外近いことに気づいた。

遊学後、私は仕事に就き、海外はアフリカを皮切りに東南アジアやオセアニアなどで勤務した。イベリア半島、セネガル、アンゴラ、モザンビーク、マラッカ、東ティモール、ソロモン諸島……。振り返ると、大航海時代と馴染みのある土地もあちこち訪ねた。しかし当時、そうした場所に行っても、喜望峰以外では、大航海時代に思いを馳せることはなかった。目先の取材をこなすのが精いっぱいで、気持ちに余裕がなかったからかもしれない。

*

本書のもとになったのは、マニラで発行されている邦字紙『日刊まにら新聞』に執筆した記事である。二〇二一年三月一六日付の紙面から五月一日付まで、計一六回の連載だった。マゼラン船団のフィリピン到達五〇〇周年に合わせた企画で、当時、同紙の編集長だった石山永一郎氏（元共同通信マニラ支局長）にお世話になった。今回の出版にあたって連載記事を大幅に書き加えたが、この過程でも石山氏に多くの貴重なアドバイスをいただいた。

執筆に際して、フィリピンのジャーナリストのガニー・デカストロ氏、グレンダ・グロリア氏、歴史学者のアンベス・オカンポ氏らには多分野にわたって助言をいただいた。加えて、数多くの先輩諸氏の書籍などから研究の成果を拝借したことも重ねて申し添えておきたい。
みなさまに深く感謝します。

二〇二三年九月三〇日

マゼラン－エルカーノ遠征隊の航跡

1518年	3月22日	スペイン国王カルロスI世、ポルトガル人の探検航海家マゼランの遠征航海計画に資金提供を応諾（実際の主なスポンサーは南ドイツの豪商フッガー家などだったとされる）。
1519年	8月10日	マゼラン船団の計五隻・乗組員二六五人（諸説ある）は、スペインのセビリアを出発。航海記録者ピガフェッタも同行。グアダルキビル川を下り、河口の港サンルーカル・デ・バラメーダに向かう。総指揮官マゼランの旗艦トリニダード号（一一〇トン）、サンアントニオ号（一二〇トン）、コンセプシオン号（九〇トン）、ビクトリア号（八五トン）、サンティアゴ号（七五トン）。
	9月20日	サンルーカルを出航。西回りで「香料諸島」（モルッカ諸島、現地名マルク諸島）を目指す。
	26日	アフリカ大陸西端沖のスペイン領に組み込まれていたカナリア諸島のテネリフェ島に停泊（～10月3日）。最初の寄港で、補給と休養が目的。
	11月29日	現ブラジルのサントアゴスティーニョ岬付近に到達。
	12月13日	リオデジャネイロ付近に到達（～27日）。
1520年	1月12日	ラプラタ川に進入。
	3月31日	南アメリカ大陸南端のサンフリアン港で越冬へ。

4月1日	ビクトリア号、コンセプシオン号、サンアントニオ号で反乱（～2日）。船長補佐ファン・セバスティアン・エルカーノも反乱側に加わるが、処刑は免れ、一般船員に降格。
7月	「パタゴニアの巨人」（テウェルチェ人とみられる）と遭遇。
8月10日	サンティアゴ号、海峡航路の探査に出かけ、嵐で難破。
24日	沈没したサンティアゴ号を放棄し、残った四隻でサンフリアンを出航。出航の前に、高い山の上に十字架を立て、「土地一帯をスペイン国王の領土であることの証明」とし、同山を「モンテ・デ・クリスト（キリストの山）」と名付ける。
10月21日	遠征隊の船団、南緯五二度地点の岬に到達。「南の海（太平洋）」へと抜ける入口で「一万一千日の聖母の岬」と命名。
11月8日	サンアントニオ号、脱走（1521年5月、スペイン帰還）。
28日	三隻になった船団（トリニダード号、コンセプシオン号、ビクトリア号）、海峡を抜け、太平洋へ出る。出口を「待望の岬」と命名。この海峡は後年「マゼラン海峡」と呼ばれるようになる。太平洋に出た船団は、南東から西北西へと舵を切る。
1521年	
1月21日	島影を見て、接近。無人島（プカプカ環礁？）の沖に数日間停泊。
3月6日	マリアナ諸島のグアム島に到達。チャモロ人と遭遇。マゼランは後に、同諸島を「イスラ・デ・ラドローネス（泥棒諸島）」と命名。
16日	現フィリピンのサマール島沖に到達。スルアン島に向かい、沖合に投錨。休息をとる。
17日	ホモンホン島（当時は無人島）に移動し、投錨し上陸。フィリピンに第一歩を記す。

18日	スルアン島から小舟で来た漁民九人と出会う。
28日	レイテ島沖のリマサワ島に移動し、上陸。マゼランの「奴隷」エンリケ、地元民の言葉を理解できることが判明。
31日	この日は復活祭の日曜日で、同行の司祭が島で初めてミサを挙行する。十字架も立てられた。これがフィリピンでのキリスト教布教の始まりとされる。
4月3日	セブ島に向かう。
7日	正午、セブ島に入港。
8日	マゼラン、セブの首長ラジャ・フマボンと「血盟」の契りを結ぶ。
14日	フマボンをはじめ、住民を相手にカトリックの集団洗礼が始まる。
27日	マゼラン、マクタン島で首長ラプラプの勢力との戦闘で討死。
5月1日	フマボン主催の宴会で、乗組員二五人（二二人説もある）が殺される。三隻は逃げるようにしてセブを出航。乗組員はスペイン出航時から半減。
2日	ボホール島で船団員の減少や老朽化のためコンセプシオン号を焼却処分。船団はビクトリア号とトリニダード号の二隻に。
7月8日	二隻は、パラワン島などをまわって、ボルネオ（カリマンタン）島のブルネイに到着。船体の修理などもあって、ブルネイや周辺の島々で四二日間滞在。
29日	ブルネイに、ルソン島の「王の息子」も来ていたことがわかる。
9月2日	ブルネイを出航。再びパラワン島やスールー諸島を経て、モロ湾を南下。
21日	エルカーノが、ビクトリア号の船長に就任。
10月28日	サランガニ島で、住民二人を香料諸島への「水先案内人」として拉致し連行して同島を離れる。現在のフィリピン領域外へ。

11月6日	香料諸島を初めて目撃。連行してきたサランガニ島の住民が教える。
8日	香料諸島のティドーレ島に到達。
12月21日	エルカーノ指揮のビクトリア号、乗組員四七人で香料諸島を出航。途中で拉致し連行した「インディオ」の一三人も乗せ、スペイン帰還を目指す。トリニダード号は修理のためティドーレ島に残留（その後、嵐で難破）。
1522年	
1月25日	ビクトリア号、ティモール島に寄り、停泊。
2月11日	ティモール島を出航し、インド洋へ。
5月22日	喜望峰をまわって大西洋へ。ティモール島出航以来、長期の無寄港航海が続き、飢餓や壊血病などで乗組員多数が死亡。
7月9日	ビクトリア号、食料や飲料水の補給のため、カーボベルデ諸島のサンティアゴ島に寄港。残っていた乗組員は三一人。ピガフェッタは、この島で、日付のズレを知る。9日と思っていたこの日、現地は「10日」だった。
15日	乗組員一三人が現地のポルトガル当局に身柄拘束され、ビクトリア号は一八人でサンティアゴ島を出航。
9月6日	ビクトリア号、サンルーカルの港に帰還。世界初の地球周航完遂。生還者一八人（帰路、途中で残留した船員の一部が後に帰還し、生還者は最終的に少なくとも合計三五人に）。
8日	ビクトリア号は出発地点のセビリアに到着。

大航海時代の主な出来事（太字は日本関連）

15世紀	
１４０５年	中国・明の永楽帝の宦官・鄭和が率いる南海遠征隊が、南シナ海を経てインド洋からアラビア半島、アフリカ大陸東海岸などに到達。鄭和の遠征は１４３３年まで計七回実施。
１５年	ポルトガルが、ジブラルタル海峡対岸のセウタを攻略。
１７年	スールー諸島（フィリピン）ホロ島のスルタン・パドゥカ・バタラと随行の約三五〇人が北京へ朝貢、永楽帝と謁見。スルタンは帰路、中国で客死。
１９年	ポルトガル、大西洋のマディラ諸島に到達。
２７年	ポルトガル、大西洋のアソーレス諸島に到達。
４４年	ポルトガル、アフリカ大陸西端沖のカーボベルデ諸島に到達。
８８年	ポルトガルの航海者バルトロメウ・ディアス、アフリカ大陸南端の喜望峰に到達。
９２年	スペイン王室の支援で、クリストファー・コロンブス、カリブ海の「西インド諸島」に到達。
９４年	ポルトガルとスペインで、海外領土分割の境界線を定めるトルデシリャス条約締結。
９８年	ポルトガルの軍人バスコ・ダ・ガマ、海路で喜望峰を回り、アフリカ大陸東海岸を経由してインドのカリカットに到達。
16世紀	
１５１０年	ポルトガル、インドのゴアを占領。
１１年	ポルトガル、マレー半島のマラッカを占領。

12年	ポルトガルの航海者フランシスコ・セラン、香料諸島（モルッカ諸島、インドネシア名はマルク諸島）に到達。
13年	スペイン人の探検家バスコ・ヌーニェス・デ・バルボア、陸路のパナマ地峡を経て「南の海（太平洋）」岸に到達。
16年	スペイン国王にカルロスⅠ世が即位（〜1556年）。
19年	カルロスⅠ世、カールⅤ世として神聖ローマ帝国皇帝を兼任。
	スペイン王室の支援でマゼラン船団、スペインの港を出航。
20年	マゼラン、南アメリカ大陸南端で「南の海」に出る海峡を通過。のちに、南の海は「太平洋」、海峡は「マゼラン海峡」と命名される。
21年	スペインの征服者エルナン・コルテス、現メキシコのアステカ帝国の首都を攻略。同帝国は滅亡へ。
	マゼランが今日のフィリピン諸島に到達。四二日後、セブ島沖のマクタン島で討死。
22年	マゼラン船団後継のエルカーノ率いるビクトリア号、スペイン帰還。
29年	トルデシリャス条約を改め、サラゴサ条約を締結。
33年	スペインの征服者フランシスコ・ピサロ、現ペルーのインカ帝国の首都を攻略、同帝国は滅亡へ。
43年	スペインの遠征隊を率いるルイ・ロペス・デ・ビリャロボス、今日のフィリピン中部地方の諸島を「ラス・イスラス・フェリペナス（フェリペ皇子の島々）」と命名。
	中国船で種子島に漂着したポルトガル人、日本へ鉄砲を持ち込む。
45年	スペイン領ペルーのポトシ（現ボリビア）で銀山開発へ。
49年	**スペイン・バスク出身のイエズス会士フランシスコ・ザビエル、ゴアからジャンク船で薩摩に来て上陸、キリスト教の伝道を始める（1551年に離日）。**

50年	**ポルトガル船、平戸に初めて入港。「南蛮貿易」が始まる。**
56年	スペイン国王カルロスI世の退位にともない、新国王にフェリペII世が戴冠。
57年	ポルトガル、マカオに拠点を築く。
65年	スペインのミゲル・ロペス・デ・レガスピ、フィリピン中部のセブ島で植民地統治に着手。アンドレス・デ・ウルダネタがセブ島からヌエバ・エスパーニャ（メキシコ）への航路を開き、フィリピンとメキシコを結ぶガレオン貿易（〜1815年）が始まる。
71年	スペイン、植民地フィリピンの統治拠点をマニラに移す。
74年	中国人の林鳳が率いる海賊集団（日本人も交じる）が、マニラを襲撃。
80年	スペイン国王フェリペII世、王統断絶のポルトガル国王を兼ね、同国併合（〜1640年）。マニラとマカオ間の航路が開ける。
	イングランド人の私掠船長フランシス・ドレーク、世界周航を達成。
82年	**九州の大友宗麟らキリシタン大名が、四人の少年（天正遣欧使節）をローマに派遣。ポルトガルの大型帆船で長崎を出航、インド洋経由のポルトガル航路でリスボンへ（1584年、マドリードで国王フェリペII世に謁見し、1585年、バチカンでローマ教皇に謁見。1590年、長崎に帰還）。**
84年	**スペイン船、マニラから平戸に初めて入港。領主・松浦鎮信は翌年、マニラへ答礼船を派遣。**
87年	**豊臣秀吉、筑前国箱崎（福岡県）で「伴天連追放令」の形でキリスト教の禁教を発令。**
88年	スペイン艦隊、イギリス海軍に敗北。
92年	**秀吉、朝鮮へ出兵（〜1593年、文禄の役）。1597年にも朝鮮出兵（〜1598年、慶長の役）。**
95年	フェリペII世、勅令でマニラをスペイン領東インドの「首府」と定める。

96年	マニラからメキシコのアカプルコに向かうガレオン船サンフェリペ号、土佐沖で台風に遭い浦戸浜に漂着。
97年	**秀吉の命令で、キリスト教徒二六人が長崎で磔刑。**
98年	**秀吉、死去。** フェリペⅡ世の死去にともない、新国王にフェリペⅢ世（～1621年）が戴冠。
1600年	**オランダ船リーフデ号、暴風で豊後（大分県）の臼杵湾に漂着。**
	イギリス東インド会社、設立。
	関ヶ原の戦い。
17世紀	
02年	オランダ東インド会社、設立。
	徳川家康、フィリピン総督に書簡を送り、キリスト教布教の厳禁を伝達。
04年	フランス東インド会社、設立。
09年	**オランダ、平戸（長崎県）に商館を開設。**
	マニラからメキシコに向かうスペインのガレオン船サンフランシスコ号、暴風のため房総半島沖で座礁。地元民が救助する。
13年	**イギリス、平戸に商館を開設。**
	伊達政宗、支倉常長が率いる使節団（慶長遣欧使節）を派遣。仙台藩建造のガレオン船サンファンバウティスタ号で、牡鹿半島月浦（現在の宮城県石巻市）を出航、太平洋を横断し、アカプルコ経由のスペイン航路でヨーロッパへ（1615年、マドリードで国王フェリペⅢ世に謁見、バチカンでローマ教皇に謁見。1618年、アカプルコを経てマニラ着。1620年、長崎経由で仙台へ帰還）。

14年	徳川幕府、キリシタン国外追放令を公布。元高槻城主の高山右近らキリスト教徒一〇〇人あまりが追放され、長崎からマニラやマカオへ（右近は、翌1615年2月にマニラで死去）。
16年	家康、死去。徳川幕府は禁教政策を強化。中国船以外の外国船の寄港地を平戸と長崎に限定。
18年	神聖ローマ帝国で宗教戦争（～1648年の「三〇年戦争」）勃発。西欧全域に拡大し、民族対立・領土紛争に発展。
21年	スペイン国王フェリペⅢ世の死去にともない、新国王としてフェリペⅣ世が戴冠（～1665年）。
23年	イギリス、平戸の商館を閉鎖。
24年	徳川幕府、スペイン船の来航を禁止。スペインとの国交を断絶。
33年	徳川幕府、在外邦人の帰国を禁止および日本船の海外渡航を制限。
35年	徳川幕府、日本船の海外渡航を禁止。
36年	長崎に人工島の出島が完成。徳川幕府は中国船の寄港地を出島に限定。
39年	徳川幕府、ポルトガル船の来航禁止。対外封鎖（鎖国）体制へ。
41年	徳川幕府、オランダ船の寄港地を出島に限定。平戸のオランダ商館は閉鎖。
48年	ウェストファリア条約の締結で、1618年からの三〇年戦争が終結。

Manuud, Antonio G (ed.). *Brown Heritage: Essays on Philippine Cultural Tradition and Literature*. Quezon City: Ateneo de Manila University Press, 1967.

Mercene, Floro L. *Manila Men in the New World*. Quezon City: The University of the Philippines Press, 2007.

Randolf, S.David. *Understanding Philippine Society, Culture, and Politics*. Mandaluy-ong City: Anvil Publishing, 2017.

Reese, Niklas, Rainer Werning (ed.). *Handbook Philippines*. Davao City: Midtown Printing Co., 2013.

Schurz, William Lytle. *The Manila Galleon*. Manila: Historical Conservation Society, 1985.

Tremml-Werner, Birgit. Spain, China, and Japan in Manila, 1571-1644. Amsterdam: Amsterdam University Press, 2015.

Zaragoza, Ramon Ma. *Old Manila*. Singapore: Oxford University Press, 1990.

な報告』（岩波文庫）岩波書店、1976年。

リード、アンソニー（平野秀秋・田中優子訳）『大航海時代の東南アジアⅠ　貿易風の下で』法政大学出版会、2002年。

リード、アンソニー（平野秀秋・田中優子訳）『大航海時代の東南アジアⅡ　拡張と危機』法政大学出版会、2002年。

李家正文監修『厠まんだら』INAX出版、2003年。

レヴィ＝ストロース、クロード（大橋保夫訳）『野生の思考』みすず書房、1976年。

ロイド、クリストファー（野中香方子訳）『137億年の物語　宇宙が始まってから今日までの全歴史』文芸春秋、2013年。

ワーフェル、デイビッド（大野拓司訳）『現代フィリピンの政治と社会　マルコス戒厳令体制を超えて』明石書店、1997年。

Abinales, Patricio N. and Donna J. Amoroso. *State and Society in the Philippines.* Quezon City: Ateneo de Manila University Press, 2017.
Agoncilio, Teodoro A. Milagros C. Guerrero. *History of the Filipino People.* Quezon City: P. R. Garcia Publishing Co., 1970.
Blair, Emma Helen & James Alexander Robertson (ed.), *The Philippine Islands 1493-1898 , 55 vols.* Cleveland, Ohio: The Arthur H. Clark Company, 1903-1909.
Borja, Marcino R. *Basques in the Philippines.* Rono, Las Vegas: University of Nevada Press, 1996.
Chu, Richard T. *Chinese and Chinese Mestizos of Manila: Family, Identity, and Culture, 1860s-1930s.* Mandaluyong City: Anvil Publishing, 2010.
Constantino, Renato. *A History of the Philippines: From the Spanish Colonization to the Second World War.* New York: Monthly Review Press, 1975.
Corpuz, Onofre D. *The Philippines.* New Jersey: Prentice-Hall, 1965.
Doeppers, Daniel F. *Feeding Manila in Peace and War, 1859-1945.* Madison, Wisconsin: The University of Wisconsin Press, 2016.
Dunber, Robin. *How Many Friends Dose One Person Need?* London: Faber and Faber, 2010.
Edwards, Philip (ed .). *The Journal of Captain Cook.* London: Penguin Books, 1999
Francia, Luis H. *A History of the Philippines: From Indios Bravos to Filipinos.* New York: The Overlook Press, 2010.
Majul, Cesar Adib. *Muslims in the Philippines.* Quezon City: The University of the Philippines Press, 1973.

藤田達生『戦国日本の軍事革命』（中公新書）中央公論新社、2022年。

フランク、アンドレ・グンダー（山下範久訳）『リオリエント――アジア時代のグローバル・エコノミー』藤原書店、2000年。

ヘイエルダール、トール（水口志計夫訳）『コン・ティキ号探検記』（ちくま文庫）筑摩書房、1996年。

ペンローズ、ボイス（荒尾克己訳）『大航海時代――旅と発見の二世紀』筑摩書房、1985年。

ホアキン、ニック（宮本靖介監訳）『物語　マニラの歴史』明石書店、2005年。

ポーロ、マルコ（青木一夫訳）『東方見聞録』（校倉選書）校倉書房、1972年。

本多勝一『マゼランが来た』（朝日文庫）朝日新聞社、1992年。

増田義郎『太平洋――開かれた海の歴史」（集英社新書）集英社、2004年。

松岡静雄『ミクロネシア民族誌』岩波書店、1943年。

松田毅一『豊臣秀吉と南蛮人』朝文社、1992年。

松田毅一『秀吉の南蛮外交――サン・フェリーペ号事件』新人物往来社、1972年。

マディソン、アンガス（金森久雄監訳）『世界経済の成長史　1820～1992年――199カ国を対象とする分析と推計』東洋経済新報社、2000年。

マディソン、アンガス（政治経済研究所監訳）『世界経済史概観　紀元1年――2030年』岩波書店、2015年。

的場節子『ジパングと日本――日欧の遭遇』吉川弘文館、2007年。

マングンウィジャヤ、Y・B（舟知恵訳）『香料諸島綺談』めこん、1996年。

ミルトン、ジャイルズ（松浦伶）『スパイス戦争――大航海時代の冒険者たち』朝日新聞社、2000年。

モルガ、アントニオ・デ（神吉敬三・箭内健次訳注）『フィリピン諸島誌』（大航海時代叢書Ⅶ）、岩波書店、1966年。

諸田實『フッガー家の遺産』有斐閣、1989年。

門田修『海が見えるアジア』めこん、1996年。

門田修『フィリピン漂海民　月とナマコと珊瑚礁』河出書房新社、1986年。

門田修『海賊のこころ　スールー海賊訪問記』筑摩書房、1990年。

横井裕介『図解　大航海時代大全』カンゼン、2014年。

村上直次郎編（訳注）『異国往復書翰集　増訂異国日記抄』駿南社、1929年。

村上直次郎『日本と比律賓』（朝日新選書）朝日新聞社、1945年。

横浜ユーラシア文化館『フィリピンの文化と交易の時代　青木洋治のコレクションを中心に』横浜ユーラシア文化館、2011年。

ラスカサス、バルトローメ・デ（染田秀藤訳）『インディアスの破壊についての簡潔

関恒樹『海域世界の民族誌』世界思想社、2007年。

高橋和良「香辛料の歴史・文化的役割について」『におい・かおり環境学会誌』(45巻2号)におい・かおり環境学会、2014年。

ダイアモンド、ジャレド(倉骨彰訳)『銃・病原菌・鉄――1万3000年にわたる人類史の謎』草思社、2000年。

田中優子『近世アジア漂流』朝日新聞社、1990年。

玉木俊明『海洋帝国興亡史　ヨーロッパ・海・近代世界システム』(講談社メチエ)講談社、2014年。

ツヴァイク、シュテファン(関楠生・河原忠彦訳)『マゼラン』(ツヴァイク全集16)みすず書房、1972年。

鶴見良行『マラッカ物語』時事通信社、1981年。

鶴見良行『海道の社会史』(朝日選書)朝日新聞社、1987年。

寺本界雄『長崎本・南蛮紅毛事典』形象社、1974年。

永積洋子『平戸オランダ商館日記　近世外交の確立』(講談社学術文庫)講談社、2000年。

西岡秀雄『トイレットペーパーの文化誌』論創社、1987年。

蜂須賀正『南の探検』平凡社、2006年。

バットゥータ、イブン(前嶋信次訳)『三大陸周遊記』(復刻版)角川書店、1989年。

羽田正『東インド会社とアジアの海』講談社、2007年。

早瀬晋三『海域イスラーム社会の歴史――ミンダナオ・エスノヒストリー』岩波書店、2003年。

原勝郎『南海一見』(中公文庫)中央公論社、1979年。

バロウズ、デビッド(法貴三郎訳)『フィリッピン史』生活社、1942年。

ピガフェッタ、トランシルヴァーノ(長南実訳)『マゼラン　最初の世界一周航海「最初の世界周航」「モルッカ諸島遠征調書」』(岩波文庫)岩波書店、2011年。

平川新『戦国日本と大航海時代　秀吉・家康・政宗の外交戦略』(中公新書)中央公論新社、2018年。

平戸市編さん委員会『蘭英商館と平戸藩』(平戸歴史文庫)平戸市、1999年。

ピレス、トメ(生田滋・池上岑夫・加藤栄一・長岡新治郎訳)『東方諸国記』(大航海時代叢書Ⅴ)岩波書店、1966年。

ヒロン、アビラ(佐久間正・会田由訳)『日本王国記』、ルイス・フロイス『日欧文化比較』(大航海時代叢書Ⅺ)岩波書店、1965年。

ファンスラー、ディーン・S(サミュエル淑子訳)『フィリピンの民話　悪魔とグアチナンゴ』大日本絵画巧芸美術、1979年。

会、2002年。

小川英文編『交流の考古学』朝倉書店、2000年。

小野重朗『南島歌謡』(NHKブックス) 日本放送出版協会、1977年。

尾本恵一・浜下武司・村井吉敬・家島彦一編『アジアの海と日本人』岩波書店、2001年。

オリヴェイラ・イ・コスタ、ジョアン・パウロ『ポルトガルと日本——南蛮の世紀』ポルトガル国立造幣局、1993年。

加瀬禎子『邪馬台国はフィリピンだ——黒潮は呼ぶ女王国の謎』月刊ペン社、1977年。

カメロン, イアン(鈴木主税訳)『マゼラン　初めての世界周航』草思社、1978年。

カルピオ、A・アントニオ(大野拓司訳)『南シナ海紛争——西フィリピン海におけるフィリピンの主権的権利と管轄権』eBook、www/imoa.ph、2017年。

川勝平太『文明の海洋史観』中央公論社、1997年。

黒潮文化の会編『日本民族と黒潮文化　黒潮の古代史序説』(角川選書)、角川書店、1977年。

ゲラン、ロジェ=アンリ(大矢タカヤス訳)『トイレの文化史』筑摩書房、1987年。

合田昌史『マゼラン——世界分割を体現した航海者』京都大学学術出版会、2006年。

コロンブス、アメリゴ、ガマ、バルボア、マゼラン(長南実・増田義郎訳)『航海の記録』(大航海時代叢書Ⅰ) 岩波書店、1965年。

コンスタンティーノ、レナト(池端雪浦・永井善子訳)『フィリピン民衆の歴史Ⅰ』井村文化事業社、1979年。

サイデ、グレゴリオ・F(松橋達良訳)『フィリピンの歴史』時事通信社、1973年。

斉藤政喜『東方見便録　「もの出す人びと」から見たアジア考現学』小学館、1998年。

榊原英資『インド・アズ・ナンバーワン』朝日新聞出版、2011年。

坂本光久『倭人伝の新解釈　新邪馬台国論』パレード　2021年
四月社(赤塚成人)ほか『500年の航海』(パンフレット) シネマトリックス、2019年。

司馬遼太郎『南蛮のみち　Ⅱ』(朝日文芸文庫) 朝日新聞社、1988年。

ジャネイラ、アルマンド・マルティンス(松尾多希子訳)『南蛮文化渡来記　日本に与えたポルトガルの影響』サイマル出版会、1971年。

城山三郎『黄金の日日』新潮社、1978年。

菅谷茂子「スペイン領フィリピンにおける『中国人』」『東南アジア研究』(43巻45号) 2006年。

杉浦昭典『海賊たちの太平洋』筑摩書房、1990年。

鈴木静夫『物語　フィリピンの歴史』(中公新書) 中央公論社、1997年。

鈴木了司『トイレと付き合う方法学入門』(朝日文庫) 朝日新聞社、1995年。

られている。

フランシスコ・アルボ『航海日誌』の英訳版は、以下のサイトでアクセスできる。(https://en.wikisource.org/wiki/The_First_Voyage_Round_the_World/Log-Book_of_Francisco_Alvo_or_Alvaro)。

原書はスペインのセビリアにある「インディアス総合古文書館(Archivo General de Indias)」に保管されている。この古文書館には、スペイン統治時代のフィリピン関係史料も多数ある。

先スペイン期のマニラの様子については、フィリピン大統領府(マラカニアン宮殿)の「Presidential Museum and Library」のサイトが参考になる(http://malacanang.gov.ph/75832-pre-colonial-manila/)。

ボクサー・コーデックス(16世紀ごろ作成されたフィリピンのイラストなど)は、以下のサイトで見ることができる(https://pdfcookie.com/documents/boxer-codex-z3lddo8gkel4)。

[その他の主な参考文献]

浅田實『東インド会社　巨大商業資本の盛衰』(講談社現代新書)講談社、1989年。

荒川秀俊『異国漂流物語』(現代教養文庫)社会思想社、1969年。

家島彦一『イブン・バットゥータの世界大旅行　14世紀イスラームの時空を生きる』(平凡社新書)平凡社、2002年。

池端雪浦・生田滋『東南アジア現代史　II』山川出版社、1977年。

石井米雄他監修『新版　東南アジアを知る事典』平凡社、2008年。

石井米雄監修『フィリピンの事典』同朋舎出版、1992年。

伊東章『マニラ航路のガレオン船　フィリピンの征服と太平洋』鳥影社、2008年。

石原保徳『インディアスの発見　ラス・カサスを読む』田畑書店、1980年。

岩生成一『朱印船と日本町』(日本歴史新書)至文堂、1962年。

上幸雄『ウンチとオシッコはどこへ行く』不空社、2004年。

ヴェルヌ、ジュール(田辺貞之助訳)『八十日間世界一周』(創元推理文庫)東京創元社、1976年。

梅原弘光「スペインのフィリピン群島占領と住民の抵抗」『21世紀地域学の創成』立教大学、2015年。

大野拓司・寺田勇文編著『現代フィリピンを知るための60章』明石書店、2001年。

大野拓司・鈴木伸隆・日下渉編著『フィリピンを知るための64章』明石書店、2016年。

大野拓司「民族紛争」、唐木圀和他編『現代アジアの統治と共生』慶應義塾大学出版

参考文献

［史料］

コロンブス、アメリゴ、ガマ、バルボア、マゼラン（長南実・増田義郎訳）『航海の記録』（大航海時代叢書Ⅰ）岩波書店、1965年。

ピガフェッタ、トランシルヴァーノ（長南実訳）『マゼラン 最初の世界一周航海「最初の世界周航」「モルッカ諸島遠征調書」』（岩波文庫）岩波書店、2011年。

マクシミリアーノ・トランシルヴァーノの『モルッカ諸島遠征調書』の英訳版は、以下のサイトで公開されている（https://en.wikisource.org/wiki/The_First_Voyage_Round_the_World/Letter_of_Maximilian,_the_Transylvan）。

モルガ、アントニオ・デ（神吉敬三・箭内健次訳注）『フィリピン諸島誌』（大航海時代叢書Ⅶ）岩波書店、1966年。

Blair, Emma Helen & James Alexander Robertson (ed.), *The Philippine Islands 1493-1898* , 55 vols. Cleveland, Ohio: The Arthur H. Clark Company, 1903-1909.

エマ・ヘレン・ブレアは米国人の歴史家で、ジェームズ・アレクサンダー・ロバートソンは米国人の書誌学者。二人は1903年から、スペイン統治時代を中心にしたフィリピン関連の歴史的文書を主にスペイン語から英語に翻訳し、編集・編纂して *The Philippine Islands 1493-1898*（フィリピン諸島1493～1898年）全55巻にまとめた。スペイン人修道士らが書き残した文書が大半だが、ピガフェッタの航海記やモルガの『フィリピン諸島誌』なども全文を英訳し収録した。ロバートソンは、のちにマニラのフィリピン国立図書館館長に就き、この国における「図書館学の父」として知られるようになる。

この全55巻は、フィリピン史の貴重な一次資料だ。すべてデジタル化され、ネットで公開されている。以下の国立フィリピン大学ディリマン校図書館のサイトからアクセスできる（https://mainlib.upd.edu.ph/the-philippine-islands-1493-1898-blair-and-robertson/）

・アントニオ・デ・ピガフェッタの航海記『最初の世界周航記』は、イタリア語版と英訳版が第33～34巻に収められている。

・アントニオ・デ・モルガの『フィリピン諸島誌』は、英訳版が第15～16巻に収められている。

・ペドロ・チリーノ（イエズス会士）の『Relacion de las Filipinas（フィリピン諸島関係誌）』（1604年刊）は、英訳版が第12～13巻に収められている。

・趙汝适（ちょう・じょかつ）の地誌『諸蕃志』は、英訳版が第34巻に収め

[著者紹介]

大野拓司（おおの・たくし）

ジャーナリスト。1948年生まれ。元朝日新聞記者。社会部を経て、マニラ、ナイロビ、シドニーの各支局長を務めた。『朝日ジャーナル』旧ソ連東欧移動特派員、『アエラ』副編集長などにも就いた。現在、米ニューヨーク・タイムズが配信する記事を選んで訳出し、朝日新聞デジタル『Globe＋』に「ニューヨークタイムズ世界の話題」として連載している。

《主な著書》

War Reparations and Peace Settlement: Philippine-Japan Relations 1945-1956（Manila:. Solidaridad Publishing House）

『ASEAN人脈』（共著、日本地域社会研究所）

『現代アジアの統治と共生』（共著、慶應義塾大学出版会）

『アジアの近代化における伝統的価値意識の研究』（共著、山喜房仏書林）

『鷲と龍――アメリカの中国人　中国のアメリカ人』（共著、平凡社）

『北朝鮮からの亡命者60人の証言』（編著、朝日新聞社）

『飢えるアフリカ』（共著、朝日新聞社）など。

《主な訳書》

『実録イメルダ・マルコス――フィリピン大統領夫人の知られざる過去』（カルメン・ナバロ・ペドロサ著、めこん）

『南シナ海紛争――西フィリピン海におけるフィリピンの主権的権利と管轄権』（アントニオ・カルピオ著、電子書籍、https://www.imoa.ph/downloads/）など。

マゼラン船団
世界一周500年目の真実
――大航海時代とアジア

2023年11月10日 第1刷発行
2023年12月25日 第2刷発行

著　者―――大野拓司

発行者―――福田隆雄
発行所―――株式会社作品社
102-0072 東京都千代田区飯田橋2-7-4
Tel 03-3262-9753 Fax 03-3262-9757
振替口座 00160-3-27183
https://www.sakuhinsha.com

編集協力――石山永一郎＋赤羽高樹
本文組版――DELTANET DESIGN：新井満
装丁―――小川惟久
印刷・製本―シナノ印刷㈱

ISBN978-4-86182-977-2　C0022

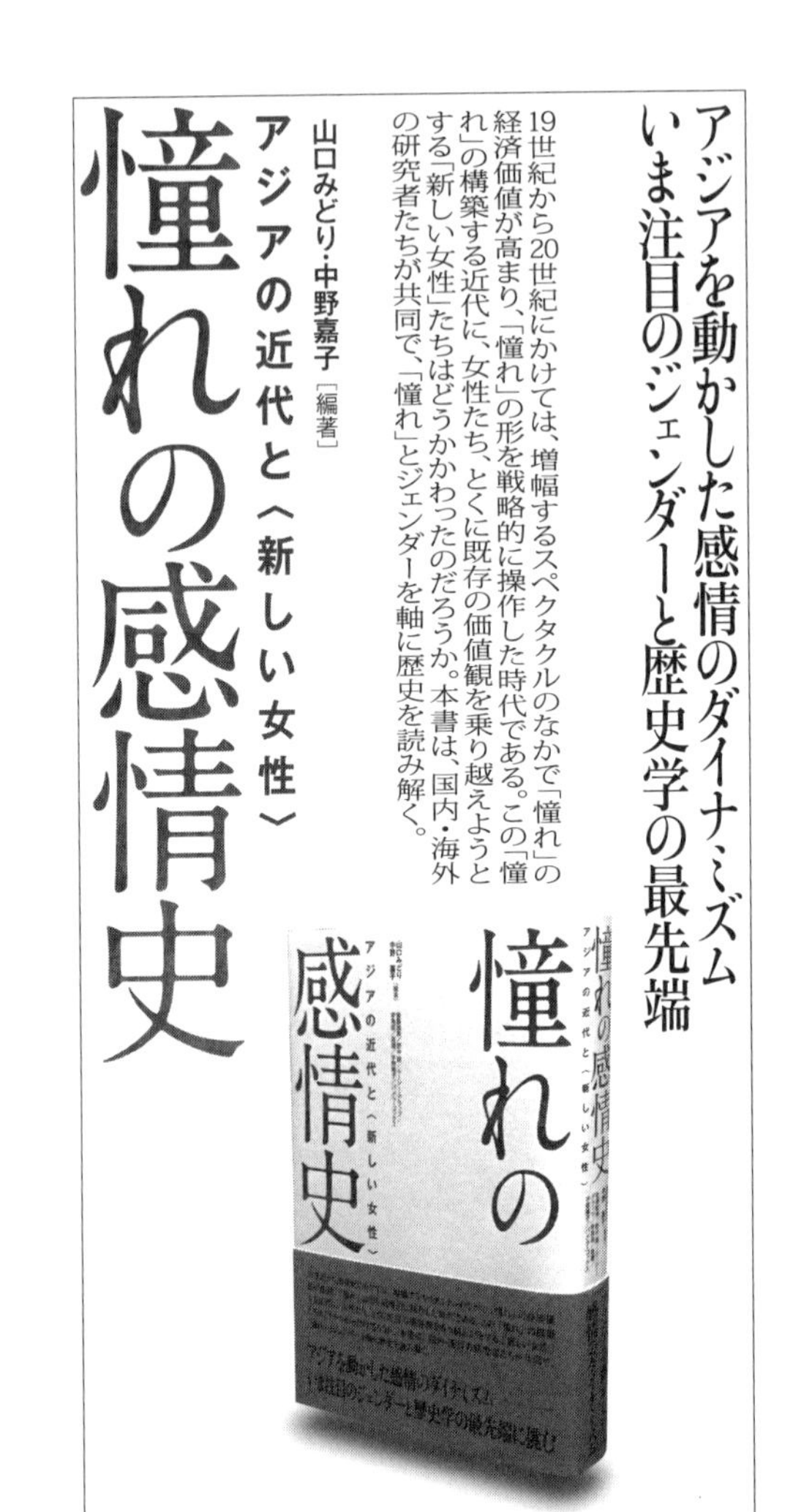
アジアを動かした感情のダイナミズム
いま注目のジェンダーと歴史学の最先端
19世紀から20世紀にかけては、増幅するスペクタクルのなかで「憧れ」の経済価値が高まり、「憧れ」の形を戦略的に操作した時代である。この「憧れ」の構築する近代に、女性たち、とくに既存の価値観を乗り越えようとする「新しい女性」たちはどうかかわったのだろうか。本書は、国内・海外の研究者たちが共同で、「憧れ」とジェンダーを軸に歴史を読み解く。
山口みどり・中野嘉子〔編著〕
アジアの近代と〈新しい女性〉
憧れの感情史